DOLLY

à Maria
Bonne Lecture
Dolly xx

Mon Amie
Découvre le parcours d'une Québécoise, bien sûr, une pas comme les autres. Mais avec le temps et les années tu veras que nous sommes tous des pas comme les autres.
[illegible] xxx

Catalogage avant publication de Bibliothèque et Archives nationales du Québec et Bibliothèque et Archives Canada

Fortin, Gisèle

Dolly, une poupée dans le monde des grands

(Collection Biographie)

ISBN 978-2-7640-1562-9

1. Gagnon, Normande. 2. Nains – Québec (Province) – Biographies. 3. Lutteurs – Québec (Province) – Biographies. 4. Artistes du spectacle – Québec (Province) – Biographies. I. Côté, Jean. II. Titre. III. Collection: Collection Biographie (Éditions Quebecor).

CT9992.G33F67 2010 599.9'490922 C2009-942511-4

Une compagnie de Quebecor Media
7, chemin Bates
Montréal (Québec) Canada
H2V 4V7

Dépôt légal: 2010
Bibliothèque et Archives nationales du Québec

Pour en savoir davantage sur nos publications, visitez notre site: www.quebecoreditions.com

---

Éditeur: Jacques Simard
Conception graphique: Sandra Laforest
Infographie: Claude Bergeron

Imprimé au Canada

Gouvernement du Québec – Programme de crédit d'impôt pour l'édition de livres – Gestion SODEC.

L'Éditeur bénéficie du soutien de la Société de développement des entreprises culturelles du Québec pour son programme d'édition.

Nous reconnaissons l'aide financière du gouvernement du Canada par l'entremise du Programme d'aide au développement de l'industrie de l'édition (PADIÉ) pour nos activités d'édition.

DISTRIBUTEURS EXCLUSIFS:

- Pour le Canada et les États-Unis:
  MESSAGERIES ADP*
  2315, rue de la Province
  Longueuil, Québec J4G 1G4
  Tél.: (450) 640-1237
  Télécopieur: (450) 674-6237
  * une division du Groupe Sogides inc., filiale du Groupe Livre Quebecor Média inc.

- Pour la France et les autres pays:
  INTERFORUM editis
  Immeuble Paryseine, 3, Allée de la Seine
  94854 Ivry CEDEX
  Tél.: 33 (0) 4 49 59 11 56/91
  Télécopieur: 33 (0) 1 49 59 11 33

  Service commande France Métropolitaine
  Tél.: 33 (0) 2 38 32 71 00
  Télécopieur: 33 (0) 2 38 32 71 28
  Internet: www.interforum.fr

  Service commandes Export – DOM-TOM
  Télécopieur: 33 (0) 2 38 32 78 86
  Internet: www.interforum.fr
  Courriel: cdes-export@interforum.fr

- Pour la Suisse:
  INTERFORUM editis SUISSE
  Case postale 69 – CH 1701 Fribourg – Suisse
  Tél.: 41 (0) 26 460 80 60
  Télécopieur: 41 (0) 26 460 80 68
  Internet: www.interforumsuisse.ch
  Courriel: office@interforumsuisse.ch

  Distributeur: OLF S.A.
  ZI. 3, Corminboeuf
  Case postale 1061 – CH 1701 Fribourg – Suisse

  Commandes: Tél.: 41 (0) 26 467 53 33
  Télécopieur: 41 (0) 26 467 54 66
  Internet: www.olf.ch
  Courriel: information@olf.ch

- Pour la Belgique et le Luxembourg:
  INTERFORUM BENELUX S.A.
  Fond Jean-Pâques, 6
  B-1348 Louvain-La-Neuve
  Tél.: 00 32 10 42 03 20
  Télécopieur: 00 32 10 41 20 24

Gisèle Fortin et Jean Côté

DOLLY

◇◇◇◇◇◇

Une poupée dans le monde des grands

◇◇◇◇◇◇

LES ÉDITIONS
Quebecor
Une compagnie de Quebecor Media

Remerciements

À M. Lionel Hamel, qui a mis ses archives personnelles à notre disposition.

À Marie-Josée Longchamps, comédienne, pour son vibrant témoignage sur Dolly.

À Gilles Rhéaume, le baroudeur de l'indépendance, avec ses discours et ses conférences d'une érudition rare. Un immense remerciement pour ses précieux commentaires sur cet ouvrage.

PRÉFACE

Dolly, une enfant pas comme les autres

Des années 1950 jusqu'à la fin d'une époque dorée, au début des années 1970, les athlètes nains – devenus depuis des «gens de petite taille», comme les sourds sont maintenant des «malentendants» – connurent une vogue sans précédent auprès d'un large public.

Partout où ils s'exhibaient, ils soulevaient un vif enthousiasme. Leur dextérité musclée, la virtuosité de leurs acrobaties, leur sens de la comédie – mimiques, culbutes et pitreries – formaient l'essentiel d'un art qu'ils maîtrisaient avec un étonnant brio.

Un combat entre nains affiché dans un programme officiel de lutte, avec des noms aussi prestigieux que Pee Wee James, Sky Low Low, le major Tom Thumb ou Little Beaver – à qui Jean Côté a déjà consacré un ouvrage important – était assuré d'un franc succès.

Au Japon, où les lutteurs nains se rendirent, et dans diverses capitales du monde où ils livrèrent d'épiques combats, la presse salua l'adresse de champions qui savaient fusionner l'art de la lutte et celui de la comédie pour offrir une performance inégalée d'une intensité soutenue.

Née le 1er décembre 1933 à Saint-Félicien, au Lac-Saint-Jean, dix-huitième d'une famille de dix-neuf enfants, Normande Gagnon (elle fit carrière plus tard dans le monde du spectacle sous le nom de Dolly Darcel) était loin de se douter à l'époque qu'il y avait une importante population naine au Québec, dont certains individus jouissaient d'une renommée internationale, et que sa destinée la vouait elle aussi à monter sur les planches.

« À ma naissance, raconte-t-elle avec humour, ma mère, alors âgée de 42 ans, épuisée par de nombreuses grossesses, luttait pour sa vie. À mon arrivée, à terme, je pesais tout juste quatre livres. Par la formation physique de mes doigts et de mes orteils, le médecin conclut que j'allais évoluer dans l'univers complexe du nanisme. J'étais d'un format si réduit qu'il m'installa sur la porte du poêle de marque Bélanger et m'alimenta, les premiers jours, avec du lait mélangé à un peu de brandy. Très tôt, je sus que je ne serais pas une enfant comme les autres. »

Dolly parle sans acrimonie de son enfance et de son adolescence. Rieuse, de nature primesautière, dorlotée par les membres de sa famille, jamais, avoue-t-elle, elle n'eut le moindre complexe d'être une naine. « Malgré mon handicap qui peut être éprouvant dans le monde des grands, je me suis efforcée de ne rien dramatiser, de chercher mon harmonie dans de petits riens, de me rendre utile. Lorsque je perdis ma mère, à 12 ans, je travaillais déjà comme serveuse et bonne à tout faire au Château de Saint-Félicien, l'hôtel de mes frères. Je détestais la fainéantise et je voulais faire la preuve qu'on trouvait souvent les meilleurs onguents dans les petits pots. »

Sa rencontre avec le culturiste Paul Hébert, modèle pour les magazines de Ben Weider, changera radicalement la vie de Normande Gagnon. À 22 ans, elle quitte son village de Saint-Félicien pour s'installer à Montréal et s'initier à l'acrobatie et au monde du spectacle. « L'invitation de Paul de me joindre à son groupe me sembla l'occasion de quitter mon patelin. Non que je le détestais, bien au contraire, mais c'était là la meilleure route à prendre pour réaliser mon rêve, accroître mon autonomie et n'être plus dépendante de ma famille. Je vivais une vie agréable dans un clan très uni, mais je désirais élargir mes horizons. »

Après des mois de dur apprentissage, Paul et Dolly, durant cinquante ans, donneront des spectacles au Québec, au Canada, aux États-Unis et à l'étranger, greffant à leur duo de nombreux autres artistes et des numéros de vaudeville. Sous le nom de Dolly Darcel – que lui donne son imprésario américain, Buddy Lee –, Normande Gagnon entreprendra, en 1960, une carrière de lutteuse qui l'obligera à faire d'exténuantes tournées dans trente-cinq États américains, dont Hawaï. Soumise à un régime d'enfer, sa santé déclinante la forcera à prendre définitivement congé de l'arène en 1963.

Outre sa longue et fructueuse carrière sur scène, Dolly ne cache pas aujourd'hui que son plus beau fleuron est sans doute sa contribution à la fondation et à l'expansion de l'Association québécoise des personnes de petite taille (AQPPT), organisme qui a vu le jour le 18 août 1976.

Dans le monde complexe et discret du nanisme, des problèmes psychologiques et physiques aigus couvrant les seize maladies les plus courantes au Québec ont été scrutés par les spécialistes, mais les complications psychiques liées à ce handicap submergent les causes de retard de la croissance et la stricte problématique médicale. Un nain est avant tout un être humain à la recherche de lui-même, de son harmonie, de son équilibre et de son acceptation globale.

«Le grand problème dans notre petit monde, explique Dolly, c'est que nous ne sommes pas tous armés de la même façon, physiquement et intellectuellement, pour affronter la vie dans l'univers des grands. Il y a les choses courantes et les autres. Changer une ampoule, retirer de l'argent à un guichet, pousser des portes trop lourdes, glisser une piécette dans un appareil téléphonique et saisir le récepteur hors de notre portée font partie, parmi tant d'autres imprévus, des obstacles quotidiens, mais les barrières psychologiques sont hautes, souvent infranchissables. Tout en reconnaissant que ce monde n'est pas à notre mesure, il nous faut garder une attitude positive et refuser d'être davantage marginalisés. Que penser de l'intégration de nos enfants dans les écoles publiques, des logis qui ne correspondent pas à nos limites et d'un véritable statut social qui aiderait les gens de petite taille à s'épanouir et avoir confiance en eux ? Nous vivons tous d'espoir. Et Dieu sait si nous en avons besoin ! »

Par le biais d'un livre enrichissant et fortement documenté, je salue en Dolly un exemple de détermination et de courage très rare dans le monde des grands, où règnent le désordre et la confusion, et très peu de compassion, un vrai carburant de la vie.

Marie-Josée Longchamps

***

L'histoire de Dolly est singulièrement intéressante, et ce, à plus d'un titre. Le sort des petites personnes est méconnu, le plus souvent, et suscite la curiosité. Dans le cas de Dolly, son itinéraire relève du roman, et les nombreuses péripéties qu'elle a connues ouvrent la porte à autant de sujets qui nous font découvrir tout un univers.

Il n'y a pas que les nains qui apprécieront ce livre, car il s'agit en fait de l'histoire du Saguenay – Lac-Saint-Jean, de l'influence du clergé au Québec dans les années 40 et 50, de la vie quotidienne en région, d'une tentative de viol et de ses conséquences, du monde du cirque et de la lutte, de la vie à Montréal à l'époque des boîtes de nuit, du drame de la maladie d'Alzheimer, des difficultés d'un couple dont un des membres est atteint d'une maladie chronique et dégénérative, etc. C'est le Québec des soixante-quinze dernières années à travers le regard et le vécu d'une Québécoise qui, malgré des difficultés peu communes, réussira à connaître une carrière phénoménale d'un bout à l'autre du continent, avec un compagnon qui est un athlète accompli et que la maladie finira par rendre impotent. Une belle histoire, bien racontée.

En fait, ce livre, remarquablement bien écrit, intéressera tout le monde, car son contenu est universel et il est habité par un souffle que le lecteur ne pourra qu'apprécier. De fait, on ne s'en sépare que difficilement tant on veut connaître la suite des choses.

La qualité de la langue de cet ouvrage mérite d'être signalée tellement il est rare de lire un livre aussi bien écrit. Le vocabulaire étendu mais accessible, le style vivant et dynamique de l'écriture et la facilité de présenter des faits qui s'inscrivent dans une logique qui devient une intrigue ne peuvent que porter le lecteur à désirer en savoir plus, et vite.

Je fais des comptes rendus de lecture depuis près de vingt ans, et il est exceptionnel que je ne puisse me séparer d'un ouvrage avant de l'avoir achevé, comme ce fut le cas avec la palpitante histoire de Dolly, qui est aussi celle du Québec tout entier.

Gilles Rhéaume

Fiche biographique

Les quelques points de repère suivants aident à comprendre le parcours de Dolly, qui ne fut jamais une femme comme les autres et qui lutta toute sa vie pour conquérir son autonomie et, avec elle, la dignité.

Naissance. Née Normande Gagnon le 1er décembre 1933, à Saint-Félicien, au Lac-Saint-Jean. Dix-huitième d'une famille de dix-neuf enfants.

Père. Ludger Gagnon, d'abord cultivateur à Saint-Cyriac. Victime comme tant d'autres de l'inondation qui dévasta et noya un petit village paisible jusque-là sans histoire.

Mère. Éva Saint-Gelais, née à Laterrière, au Saguenay. La femme forte de l'Évangile accoucha, dans l'esprit qui prévalait à l'époque, de dix-neuf rejetons. Elle mourut le 9 septembre 1946, à Saint-Félicien.

Départ de Saint-Félicien. Le 23 octobre 1957, à l'âge de 22 ans, Normande Gagnon quitte son village pour s'installer à Montréal et s'initier à l'acrobatie sous la direction du culturiste Paul Hébert, qui allait devenir son partenaire et son conjoint.

Paul et Dolly. Sous le nom de scène Paul et Dolly, Paul Hébert et Normande Gagnon vont donner des spectacles au Québec, au Canada et aux États Unis durant plus de cinquante ans, greffant à leur duo d'autres artistes et ajoutant à leurs numéros des pièces de vaudeville. Paul et Dolly seront à l'affiche de boîtes de nuit et de cabarets.

Lutteuse. À l'invitation de l'imprésario américain Buddy Lee, Normande Gagnon entreprend en 1960 une carrière de lutteuse sous le nom de Dolly Darcel. Amie de Little Beaver et de Sky Low Low, vedettes incontestées de l'époque et comédiens chevronnés de l'arène, Dolly s'initie à toutes les facettes d'un sport exigeant lors de ses tournées dans trente-cinq États américains, dont Hawaï. Sa santé compromise, elle prend congé de l'arène en 1963.

Retour à Saint-Félicien. Repos et convalescence dans sa famille, où elle redécouvre les paysages de son adolescence et revoit plusieurs de ses connaissances. Cette halte réconfortante la remet sur pied: «*The show must go on!*»

Fondation de l'AQPPT. Avec des camarades, Dolly fonde le 18 août 1976 l'Association québécoise des personnes de petite taille. Quinze ans plus tard, après avoir surmonté différents obstacles, elle se voit remettre un diplôme honorifique pour sa contribution à cette association.

Vie artistique et sportive. En 1984, Paul et Dolly, continuellement en tournée au Québec et au Canada, fêtent le vingt-cinquième anniversaire de la création de leur duo. Le monde du spectacle a changé, envahi par une clientèle de voyeurs. La connivence avec le public est devenue impossible, et ils songent à mettre fin à leur carrière.

Cartomancienne. Dolly abandonne peu à peu le spectacle et décide de tirer son épingle du jeu. Elle s'y connaît en cartomancie. Douée d'une bonne intuition, elle aura un succès continu.

Importante recherche médicale sur le nanisme. En août 1993, dans le cadre du projet Défi piloté par l'AQPPT, des spécialistes – psychiatres, généticiens, orthopédistes et pédiatres – publient les résultats d'une étude sur les types de nanisme et apportent un nouvel éclairage sur les causes et les effets d'un handicap qui touche des milliers de personnes au Québec.

Retraite de Paul. De quinze ans l'aîné de Dolly, Paul envisage de prendre sa retraite dans les années 1988-1989. Sa mémoire est défaillante. Un examen médical révèle qu'il souffre de la maladie d'Alzheimer, une affection incurable. Dolly en prendra soin pendant plusieurs années, mais la tâche devient trop lourde pour ses faibles moyens. Elle confie son conjoint aux spécialistes de la résidence Robert-Cliche, le 25 mars 2004.

Période dépressive. À la suite du placement de Paul, Dolly, pour combattre un stress culminant et une dépression inquiétante, entreprend une thérapie spéciale et fréquente des ateliers d'initiation à l'écriture dans le but de raconter sa vie, de son enfance à aujourd'hui.

On sonnait à la porte du modeste appartement sis au sous-sol d'un immeuble voisin de la rue Beaubien.

Depuis que Paul, atteint d'une maladie incurable, avait été confié à une institution spécialisée en soins de longue durée, Dolly, à la retraite, occupait le modeste logis qu'elle avait partagé durant près de cinquante ans avec son conjoint, et que le couple, entre deux tournées de spectacles, considérait comme un pied-à-terre. L'escalier qui menait à la porte d'entrée, laquelle s'ouvrait de l'intérieur plutôt que de l'extérieur, était une véritable anomalie, que le propriétaire promettait de corriger depuis des années.

Tant que Paul et Dolly, presque toujours absents de Montréal, couraient les routes et les salles de spectacle à bord de leur maison roulante, ils toléraient le démentiel escalier.

Lorsqu'elle devait fermer la porte de l'intérieur, Dolly, avec ses trois pieds et dix pouces, se trouvait un court moment en position précaire, forcée, de la marche supérieure, de pivoter sur elle-même, véritable tour d'adresse et de contorsion défiant les lois de la gravité, car elle restait un moment suspendue entre la poignée et la marche supérieure.

Ce jour-là, son visiteur s'apprêtant à partir, Dolly refit le même manège pour refermer la porte, pirouetta sur elle-même... mais son pied dérapa. Elle dégringola sur les talons comme une balle de ping-pong, bondissant d'une marche à l'autre.

À l'atterrissage, sa tête heurta un banc de bois qui se trouvait dans sa trajectoire.

Ce fut la zone noire, puis K. O.

Et avant de sombrer dans les vapeurs de l'inconscient, Dolly vit défiler, à la vitesse de l'éclair, les images trépidantes et séquentielles de son passé alors qu'elle vivait à Saint-Félicien, au Lac-Saint-Jean, sous le nom de Normande Gagnon.

Chapitre 1

Une décision déchirante

Au cours de ma vie de naine de trois pieds et dix pouces, j'ai surmonté toutes sortes d'obstacles, mais rien ne fut plus pénible que la maladie de mon conjoint, un homme que je croyais indestructible, mon partenaire pendant quarante ans dans le showbiz, *l'amoureux toujours à mes côtés, et un protecteur dévoué et attentif qui ne m'a jamais déçue. Hélas! des événements dramatiques, que je raconte dans ce livre, vinrent modifier radicalement mon inoubliable parcours le jour où le malheur, sous la forme de la maladie, entra dans notre demeure.*

Ce matin-là, le pas hésitant, Paul Hébert effectuait sa promenade quotidienne, sans trop savoir où il allait. Au fur et à mesure qu'il s'éloignait de sa résidence, il semblait désorienté, perdu, confus.

À l'angle des rues Saint-Michel et Beaubien, dans le quartier Rosemont, il traversa la rue à plusieurs reprises, épia le va-et-vient des piétons avec les yeux d'une bête traquée en état de panique, car il ne savait plus au juste où il était et ce qu'il faisait au milieu de la cohue.

Bien que vieillissant, il avait toujours un corps d'athlète, mais ses jambes se dérobaient sous lui et le désarroi submergeait la totalité de son être. Lui, si costaud quelques années auparavant, chancelait sous le coup d'une émotion envahissante qu'il ne parvenait pas à contrôler. Il ne réalisait pas encore qu'il avait perdu le sens de l'orientation et la capacité de dominer la situation, sa mémoire trouée lui refusant le service de regrouper les blocs fragmentés d'impressions fugitives qui éclataient dans sa tête comme des bulles de savon. Et plus son angoisse croissait, plus la confusion l'éloignait du réel qu'il voyait, sans trop comprendre ce qui se déroulait autour de lui, scènes pourtant familières du quotidien que son ordinateur rejetait au fur et à mesure qu'elles défilaient sans les relier à un événement précis. Il y avait un trou dans sa tête, un vide sans passé aux effets déstabilisants.

À l'angle des rues du cauchemar et de la confusion, Paul était comme un polichinelle détraqué dont les ressorts principaux ne jouent plus.

Pour ajouter à son angoisse profonde, une détresse sans nom l'accablait. À dix minutes de sa résidence de la 2e Avenue, à Rosemont, il était quelque chose comme le dernier survivant du déluge abandonné dans un univers cauchemardesque sans autre point de repère que des clignotants s'éteignant et s'allumant à intervalles irréguliers dans une brume dense qui ne laissait entrevoir que les contours des objets. La gorge sèche et le regard un peu fou, Paul, tel un automate, traversait et retraversait la rue d'un pas lent, dans les deux sens, cherchant à s'évader du tunnel qui lui ravissait le chemin de la lumière. Le poids de sa détresse le rendait pitoyable, désarmé, vulnérable. Son cœur battait la chamade – celui de Dolly également de le voir aussi désemparé – au même rythme que son esprit désordonné et terrorisé par l'incapacité de trouver une réponse à deux questions: «Où suis-je? Où dois-je aller?»

Non pas que Paul fût en mesure de diagnostiquer son problème de comportement, mais il était dans la même situation que le naufragé rejeté par la vague sur une île déserte, à la merci d'un terrible inconnu. Sa mémoire restait sourde à ses appels intérieurs déchirants et désespérés. Le jour se confondait avec la nuit. Sa voie n'était plus balisée. Il était entré dans l'errance, cherchait à renouer avec les bribes d'un passé aussi insaisissable que des lucioles dans un champ.

Culturiste et acrobate, Paul Hébert, qui avait passé la majorité de son existence à donner des spectacles sur des dizaines de scènes, ne se doutait nullement que son attitude bizarre annonçait une rapide détérioration de son état, car il croyait posséder une santé de fer.

À ce stade de la maladie d'Alzheimer, il était devenu dépressif, craintif, stressé par des banalités, sujet à des colères subites, incohérent, désorienté – symptômes qu'il attribuait à des trous de mémoire, ce qu'il appelait des *black out* passagers.

Ce jour-là, relate Dolly, inquiète de son comportement et des changements profonds de son caractère, et au courant des problèmes liés à l'Alzheimer, je décidai de le suivre à bonne distance et de le ramener à la maison. Pour mieux comprendre la progression de sa maladie, je suivais même des cours dans un CLSC avec d'autres hommes et femmes dont les compagnons et compagnes de route souffraient du même mal. La mémoire de mon Paul était devenue une passoire. Je lui disais quelque chose et il l'oubliait deux minutes plus tard. Ce n'était pas l'homme que j'avais connu en pleine possession de ses moyens. Je notais que les choses les plus ordinaires, les plus élémentaires, par exemple se laver, lui semblaient une tâche surhumaine. Je le trouvais aussi plus confus et par moments, sans aucune raison valable, enclin à des peurs morbides, passant du rire aux larmes, du calme total à la crise nerveuse et aux idées fixes – il avait perdu tout son argent, par exemple.

Par rapport à ce qui arrivait – ses oublis répétés, sa méfiance envers tout, ses peurs et ses colères irrationnelles, ses difficultés à former des phrases entières, la détérioration de ses réflexes et de la qualité de son jugement –, Paul restait passif, attribuant ses déficiences à son âge. Il refusait d'admettre qu'il était malade, ce qui rendait difficile sa surveillance. Il n'y avait pas chez lui une dégénérescence physique apparente, sauf un état de fatigue constant qui le rendait inapte à tout effort continu. Il s'épuisait très vite. Il revint à bout de force de leur dernier voyage en Floride et avoua au retour: « Dolly, je n'aurais pas dû y aller, je suis épuisé ! » Il ne disait pas qu'il était malade mais démoli par la fatigue.

Athlète accompli durant plus de cinquante ans, détenteur de différents titres et modèle attitré des magazines de Ben Weider, il ne lui venait pas en tête qu'il pût déchoir, dépérir à petit feu, perdre son autonomie et le goût de tout ce qu'il aimait. Lui qui dévorait des dizaines de revues portant sur la bonne condition physique et l'alimentation n'en lisait plus aucune.

Je l'encourageais de mon mieux, j'évoquais son enthousiasme d'antan, mais la petite lumière de l'entrain, de la joie de vivre, de l'action s'était à tout jamais éteinte dans son esprit. Ce n'était plus le Paul des grandes années, quand il faisait jaillir ses biceps et ses pectoraux pour les pages couverture des magazines sportifs. Souvent, il me jetait des regards désolés parce que je n'arrivais pas à comprendre qu'il n'était pas vraiment malade, seulement amoindri, moins performant, bref, toujours en santé. «Je n'ai jamais été malade de ma vie!» tonnait-il. Si j'essayais de lui dire que son état nécessitait des soins, si j'insistais sur ses troubles de mémoire, il protestait; comme les mots commençaient à se former difficilement sur ses lèvres, il tapait du pied, roulait les yeux ou se laissait emporter par de subites et courtes colères dont il ne se souvenait plus cinq minutes plus tard.

N'eût été le soutien du groupe de femmes que je rencontrais toutes les semaines, lesquelles vivaient des problèmes similaires aux miens, je crois que j'aurais craqué, avoue Dolly. Je n'avais ni la force, ni les outils, ni le cadre approprié pour prendre soin toute seule de mon homme à la dérive, et c'est avec des moyens primaires, mon instinct toujours en éveil et une psychologie forgée au jour le jour que je parvins à tenir le coup et à vivre au quotidien les étapes d'une épreuve qui me fit passer par toutes les transes. Je ne sais au juste à quel moment la maladie d'Alzheimer a frappé Paul, mais je me rappelle certains détails qui ont possiblement précipité sa maladie.

En 1996, à notre retour des États-Unis où nous avions travaillé pendant trois ans, il fut très affecté d'apprendre que son frère Georges s'était pendu à l'hôpital de Roberval. Ce dernier était resté huit jours dans le coma avant que le médecin le déclare cliniquement mort. Cette affaire bouleversa Paul. Il passait de longs moments à ruminer ce brutal décès. Hochant la tête, il disait, chagriné et abattu: «Pourquoi mourir de cette façon?» J'eus beau lui expliquer que Georges n'avait plus aucune raison de vivre, qu'il avait eu sa part de déboires, Paul n'en démordait pas. Pourquoi? Il y a des pourquoi qui restent sans réponse. Il y avait eu aussi, en Floride, cette affaire de zona mal soigné. Un jour, il me montra les rougeurs anormales sur le côté droit de son corps. «Ça me brûle jour et nuit. Est-ce que j'ai le cancer?» me demanda-t-il, angoissé. Je ne pouvais répondre à cette question, mais le spécialiste consulté lui fit savoir qu'il avait tardé à se faire soigner et qu'il y aurait possiblement des séquelles. Une obstruction intestinale, une perte de poids, une fatigue continuelle, un amoindrissement progressif et sournois de ses facultés physiques et intellectuelles préparaient-elles le terrain à la maladie d'Alzheimer? Je ne sais pas. En tout cas, l'an 2000 et les années qui suivirent furent critiques pour Paul, que je gardais à domicile avec la conviction – à défaut de pouvoir l'en sortir – que je pourrais tout au moins atténuer sa peur angoissante de l'inconnu et adoucir cette étape de sa vie si tragiquement estropiée par une terrible maladie.

Faisons une courte parenthèse pour expliquer que l'Alzheimer, inguérissable et soulagée par des médicaments, se manifeste par de multiples lésions du cortex cérébral au niveau des cellules nerveuses, en particulier les neurones qui assurent le fonctionnement de la mémoire englobant la lecture, l'écriture, le langage, la prospection visuelle, la perte de l'autonomie et, enfin, les fonctions cognitives. C'est au niveau du cerveau que se déroule le drame, pas ailleurs. Il ne s'agit pas d'une maladie liée à la seule longévité, comme le croient certains, puisque des individus encore jeunes souffrent de ce fléau découvert il y a plus de cent ans.

Nous avions adopté une routine forcément réduite, poursuit Dolly, précisant qu'elle garda Paul à domicile durant cinq ans, de 1999 à 2004. À part les courses obligatoires, le marché au Metro, la promenade dans le parc et le Dunkin' Donuts, nous n'allions pas très loin. Il se fatiguait vite et manifestait le désir de rentrer. D'autre part, au volant de notre Dodge campeur, notre résidence roulante quand nous étions en tournée et adaptée à ma petitesse, il était devenu un danger public. Je ne voulais pas qu'il provoque un accident ou mette en péril la vie d'autrui, et je le semonçais souvent sur sa façon hésitante et maladroite de conduire. Il s'obstinait à dire qu'il était un excellent conducteur, alors que ses fonctions normales et ses réflexes dénotaient le contraire. Il perdait souvent ses clés d'auto et je m'arrangeais pour qu'il ne les retrouve pas. En désespoir de cause, ne pouvant le convaincre de ne plus conduire, j'avisai les autorités de la Société de l'assurance automobile du Québec de son état, et son permis fut rapidement révoqué.

Son véhicule avait pour lui une énorme importance, car il représentait une forme d'autonomie. Je vendis le campeur en quelques jours, mais cela ne l'empêcha nullement de le réclamer à plusieurs reprises avec insistance:

«Paul, ça fait dix fois que je te dis qu'il est vendu. Nous n'avons plus de campeur.

— Maudit gouvernement! se plaignit-il. Pourquoi me faire ça?

— Tu n'es plus apte à conduire, Paul.

— Oui, je conduis bien. Je ne suis pas malade, je me porte bien», s'obstinait-il.

Pendant quelques jours, il regardait dans la cour arrière pour voir si le véhicule s'y trouvait encore. Puis il l'oublia et retint seulement que le gouvernement, cause de son ressentiment, lui avait joué un tour de cochon. Sa véhémence contre les autorités de la SAAQ dura plusieurs mois et fondit dans sa mémoire comme un cube de glace dans un verre, car il oublia même avoir été le propriétaire d'une Dodge campeur.

Facilement dépressif, avec des hauts et des bas, tantôt rassuré, tantôt mortellement inquiet, Paul avait maintenant un caractère qui variait selon les événements. Au jour le jour, je vivais toute la gamme de ses émotions. À l'occasion de ses grandes paniques, il répétait, tel un leitmotiv:

«Dolly, je n'ai plus d'argent, je vais être forcé d'aller travailler, demain.

— Mais non, Paul, tu n'as pas à t'inquiéter. Tu as de l'argent à la banque. Détends-toi!»

Il maugréait, se tassait sur lui-même, me regardait d'un air désapprobateur puis revenait subitement à de meilleurs sentiments. J'étais devenue sa bouée de sauvetage, et il le savait. Du haut de mes trois pieds, je me demandais combien de temps je pourrais tenir le coup. J'usais de différents stratagèmes pour le convaincre de faire ceci ou cela. Il se rasait la barbe régulièrement mais oubliait de se laver. Je ne pouvais jamais le heurter de front et lui dire: «Paul, lave-toi!» Il m'aurait envoyée paître. Alors, je cherchais une tournure appropriée: «Tu ne trouves pas, Paul, que je t'apprécierais davantage si tu sentais bon?» Les circonstances me dictaient le ton que je devais employer. Il n'y avait pas de formule toute faite. Je composais avec les événements, obéissant à une seule règle de conduite: ne jamais me trouver avec lui dans une situation de confrontation, car il était devenu d'une excessive irritabilité et perdait facilement le contrôle de ses émotions.

Paul n'avait jamais été un homme violent et il ne sortait jamais de ses gonds, sauf pour maugréer. Un jour qu'il regardait calmement la télévision, il eut un sursaut, pointa un quelconque inconnu à l'écran et s'exclama sur un ton coléreux:

«Tu vois ce type, Dolly, il m'énerve. Je te dis qu'il m'en veut!

— Pourquoi t'en veut-il, Paul, il ne te connaît même pas? Tu es un homme gentil, pourquoi les autres t'en voudraient-ils?»

Il se calma. Je changeai de canal et il oublia l'homme en question. Je savais que trois ou cinq minutes plus tard, il ne se souviendrait même plus du type qui l'énervait. Paul pensait par déclic. Il avait une idée, mais il était incapable de la retenir longtemps. Outre notre itinéraire habituel – le Metro, le parc et Dunkin' Donnuts –, je l'emmenais parfois dans le Vieux-Montréal pour un délassement plus complet, mais je devais le surveiller en permanence pour ne pas le perdre. Toute une sinécure! Si je n'avais pas suivi des cours pour savoir comment me comporter avec un conjoint atteint de la maladie d'Alzheimer, je ne m'en serais pas sortie.

Comme il ne voulait pas prendre ses médicaments, je les mettais dans son jus d'orange ou dans une quelconque boisson. Dans ses toquades, il refusait de se faire soigner, car il affirmait sans cesse, obstiné, qu'il était en parfaite santé. Un jour, il se mit en tête que je l'avais abandonné, alors que j'étais dans la pièce. Il me regardait avec de grands yeux chavirés. Ses mains tremblaient et sa voix grésillait:

« Que se passe-t-il, Paul?

— Dolly m'a quitté. Elle est partie.

— Mais non, Paul, je suis là.

— Ce n'est pas Dolly. Tu n'es pas Dolly!

— Paul, je vais aller me maquiller et tu vas me reconnaître. »

Il se calma. Mais il avait de plus en plus tendance à perdre son sang-froid et à donner libre cours à ses explosions de colère. Si je devais m'absenter, Anne-Marie Gagnon, une amie naine qui couchait deux soirs par semaine à la maison, surveillait Paul pour qu'il ne lui arrive rien de fâcheux. Un jour, sous l'effet d'un stress ou encore ne me voyant pas dans le décor et tirant des conclusions farfelues, il se mit à geindre et à donner des coups de poing dans les murs. Anne-Marie eut peur que sa colère ne se retourne contre elle, mais il redevint calme. Elle me raconta dans le détail ce qui s'était passé lors du défoulement de Paul et me dit sans ambages que ma sécurité pouvait à la longue être compromise.

À une autre occasion, enchaîne Dolly, je réalisai à quel point le stress de Paul pouvait prendre des proportions alarmantes. Je passais une fin de semaine à Québec avec une amie, Mae Bernier, lorsque, prévenue par mon sixième sens, je décidai de donner un coup de fil à Montréal pour prendre des nouvelles. Je ne partais jamais sans être inquiète. La gardienne de Paul sonna l'alarme: il était dans tous ses états. Il se promenait comme un lion en cage, fouillait partout dans mes affaires personnelles, gémissait, rageait, me croyant partie pour toujours. Je donnai le signal du départ: « Mae, les vacances sont terminées, dis-je à ma compagne, en proie à un mauvais pressentiment. Si Paul ne me voit pas, il va se passer quelque chose de grave.»

De retour à la maison, je le trouvai désemparé, hagard, stressé à l'extrême, les yeux un peu fous. Ses mains tremblaient. Lorsqu'il me vit, il essaya de dire quelque chose, mais il bredouilla, incapable de formuler une phrase. «Je suis là, Paul.» Il me fixait de ses yeux hagards. Je pris ses mains, les caressai. «Tout va bien maintenant, Paul.» Il se détendit, évacua un stress énorme.

Tout au long d'une kyrielle d'événements qui se succédaient au fur et à mesure que progressait la maladie de Paul, je sentais vaciller mes propres forces; cela me vidait de toute mon énergie physique et émotionnelle.

Chapitre 2

À Saint-Cyriac, la nature se venge

Au début du siècle dernier, le courage était une valeur prédominante de la société d'alors. Rien n'était facile, l'absence de bonnes communications accroissant les difficultés. Le voyageur qui se hasardait à La Malbaie, pour ne donner que cet exemple, devait mettre plusieurs jours, et parfois davantage, avant d'atteindre son but par voie d'eau ou encore, à défaut d'un bon système routier, en empruntant les pistes tortueuses et pierreuses serpentant à travers monts et vallées. L'anecdote qui suit nous donne une faible idée des misères endurées par nos prédécesseurs au cours d'un voyage éprouvant.

Se rendre au Lac-Saint-Jean, surtout en période hivernale, nécessitait une planification serrée, car les embûches se dressaient tout au long d'un parcours exténuant. Les habitants de cette immense région désireux de se rendre d'un lieu à un autre surmontaient les difficultés par la débrouillardise, la détermination et une vitalité physique étonnante.

Pour les voyageurs, il était commun d'emprunter la piste balisée du lac Saint-Jean, seul trait d'union entre les différentes localités construites en bordure des rives. Traverser ce plan d'eau immense en période hivernale exigeait de sérieux préparatifs.

L'hiver, un phénomène naturel se produisait au centre de ce lac long de 51 km. En se décompressant, la glace provoquait un énorme afflux d'eau en surface. Un pont de bois qui défiait toute logistique enjambait cette nappe d'eau. L'obstacle franchi, les voyageurs trouvaient un relais où ils pouvaient se reposer, se restaurer et échanger, pour la dernière étape d'environ 25 km, les balles de paille froide contre des balles de paille chaude, fort utiles pour le confort des enfants qui prenaient place dans des carrioles ou des traîneaux. À proximité de la cabane, dans un enclos protégé, on gardait des chevaux fringants que l'on pouvait troquer contre les siens pour repartir avec un attelage frais. Mais le voyage était si rude que les bêtes, tenues au trot, crevaient souvent à l'arrivée.

Ces gens du Lac-Saint-Jean, du Saguenay et de Charlevoix, fiers, courageux, entreprenants, riches d'une belle débrouillardise, se vantaient, non sans raison, d'être «durs à leur corps». Infatigables et optimistes, ils se suffisaient à eux-mêmes, s'assumaient pleinement dans un univers tantôt bienfaisant, tantôt hostile. Ils habitaient un pays distinct à l'autre bout du monde, perdus dans des immensités qui ne leur laissaient d'autre choix que de se battre pour survivre.

***

Comme plusieurs de ses concitoyens de Saint-Cyriac, petit village situé au cœur du territoire saguenéen, le père de Dolly – Ludger Gagnon, né le 19 janvier 1880 au lac Mistassini – s'inquiétait des rumeurs persistantes selon lesquelles le niveau artificiel des eaux du lac Kénogami était alarmant, sentiment partagé par sa femme, née Éva Saint-Gelais, plutôt frêle à ce moment-là et déjà mère de six enfants.

Au début de 1905, après un long affrontement avec le gouvernement du Québec, la Compagnie de pulpe de Chicoutimi avait obtenu l'aval des autorités pour hausser artificiellement le niveau de l'eau du lac Kénogami, véritable mer intérieure d'une superficie de 227 km^2. Afin de retenir cette masse d'eau, la construction de nouveaux barrages plus solides et plus performants s'imposait, les anciens étant devenus obsolètes. Mais ces réaménagements, prédisaient quelques rares visionnaires, n'écarteraient pas pour autant le danger d'une éventuelle inondation du village de Saint-Cyriac dans des délais que la nature fixerait elle-même. Les grands discours et les affirmations d'hommes publics colmataient provisoirement ou assourdissaient les cris d'alerte de la nature. Le plan d'eau estropié par les grands forestiers – ces derniers promettaient de régulariser la situation – avaient déjà submergé de nombreuses rives et les terres avoisinantes des agriculteurs. Un désastre !

Comment l'homme, qui ne contrôle pas son propre destin, peut-il prétendre maîtriser les éléments naturels lorsqu'ils se déchaînent ? demandaient quelques personnes avisées.

Les gens de Saint-Cyriac émettaient des avis partagés, mais plusieurs d'entre eux croyaient à la toute-puissance d'une industrie qui en menait large dans les régions du Saguenay et du Lac-Saint-Jean.

Par toutes sortes de parades et de déclarations bien ficelées, au nom du progrès et de la sacro-sainte économie en expansion dans la région, les porte-parole des coupeurs de forêts entretenaient l'idée que leur entreprise pouvait dompter la nature et la plier à leurs caprices ; ils rappelaient que le dynamisme et la vitalité des papetières avaient donné naissance à des villes telles Jonquière, Arvida, Chicoutimi et Kénogami, naguère de simples postes de traite sur les pistes du trafic de la fourrure.

Les grandes compagnies paternalistes de l'époque ne s'embarrassaient pas de scrupules inutiles et jouissaient d'une influence démesurée en tant que réels propriétaires d'immenses ressources forestières. Sous le gouvernement d'Alexandre Taschereau, le Québec était dépecé et offert sur des plateaux d'argent aux investisseurs étrangers. Le trafic des peaux des bêtes sauvages s'étant tari, la nouvelle économie reposait maintenant sur la forêt, autrefois considérée – et cela, depuis les observations du grand voyageur Marc Lescarbot, venu en Nouvelle-France dans les débuts de la colonie – davantage comme une ennemie qu'une amie. Jacques Cartier et Samuel de Champlain avaient eux aussi, dans leurs carnets de voyage, décrit avec enthousiasme la densité, l'épaisseur et les essences variées de ce qu'ils appelaient une mer d'arbres aux troncs noueux et vermoulus, ciselés par les siècles sur les rives du fleuve Saint-Laurent, nourri par de puissants et nombreux affluents. En France, rien de comparable à ce gigantesque dôme forestier que l'intendant Dupuy, au début du xxe siècle, qualifiait de « véritable fruit du Canada », prédisant qu'un jour viendrait où l'on ferait grand commerce du blé et du bois. Il entrevoyait pour ce pays de Cocagne qu'était la Nouvelle-France, terre de fertilité, un âge d'or.

Le Saguenay et le Lac-Saint-Jean disposaient de ressources naturelles presque inépuisables, filons si prometteurs que tous les espoirs semblaient permis. Toutefois, de la coupe aux lèvres, il y avait un gigantesque fossé.

Alors isolées et desservies par les routes de l'eau – « les chemins qui marchent », comme disaient les autochtones –, ces régions se classaient au premier rang pour leurs hommes taillés à la serpe et vigoureux, leurs aventuriers aux muscles d'acier, leurs trappeurs, leurs chasseurs, leurs coureurs des bois, leurs commerçants avisés et déterminés, leurs agriculteurs à la couenne dure et leurs individus exceptionnels qui arboraient des noms de guerre tels que de Quen, Albanel, McLeod, et aussi pour une vaste galerie de personnages mythiques et fascinants : Maria Chapdelaine ; Victor Delamarre, l'homme fort du lac Bouchette, élevé sur une ferme ; Jean Allard, l'héroïque défricheur ; Pierre Carquois, le guide de la Pointe-aux-Sauvages ; Alexis Lapointe, dit le trotteur, le plus rapide coureur de tous les temps ; et d'autres personnages hors du commun qui défiaient l'imagination. Ils avaient tous au fond d'eux-mêmes un rêve ancré dans leur imaginaire et quelque chose reçu en héritage de leurs ancêtres : le goût de l'effort, du travail et une magique et incroyable débrouillardise.

Loin de tout, des grands centres du commerce, ils étaient par ailleurs soumis à un code moral non écrit : réputation d'intégrité valait mieux que fortune.

La petite population de Saint-Cyriac vivait donc depuis quelques années sous le joug d'une épée de Damoclès suspendue en permanence au-dessus de sa tête. Bien que rassurée par les porte-parole de la compagnie de pâtes et papiers, ses habitants subissaient un stress quotidien en priant ferme pour que la catastrophe ne se produise pas.

***

En multipliant les villages, en poursuivant une stratégie d'encadrement de ses ouailles dans le but de consolider son influence dans les créneaux de la santé, de la vie familiale, de l'enseignement et des loisirs, ou encore par l'acquisition ou la création des journaux et bulletins à saveur religieuse, le clergé québécois – pouvoir derrière le trône – intervenait, sous le pavillon de la morale, à tous les niveaux du discours public, politique, culturel et social. Dans sa perspective d'être partout à la fois, l'Église se donnait au fur et à mesure les mécanismes de propagande pour contrôler son troupeau, y compris le choix du matériel didactique qui circulait dans les écoles.

Saint-Cyriac était né dans la politique expansionniste du clergé qui bâtissait – dès que les facteurs-clés se retrouvaient dans la grille des semeurs de villages – d'abord un hameau avant de devenir peu à peu, sous l'impulsion de la compagnie forestière alliée au clergé, un secteur tampon entre le Saguenay et le Lac-Saint-Jean. La naissance de Saint-Cyriac répondait aux objectifs d'endoctrinement et de main-d'œuvre bon marché pour les scieries et les papetières.

Cependant, la construction d'un tronçon ferroviaire entre Chambord et Chicoutimi fit basculer en quelques années l'importance de Saint-Cyriac, confronté à un avenir incertain par la concurrence forcenée des entreprises forestières.

Le 7 septembre 1901, la Compagnie de pulpe de Jonquière passa aux mains de sa rivale, Price[1], et dès lors, un litige opposa cette entreprise et la ville de Chicoutimi concernant le débit d'eau du lac Kénogami.

1. Dans les années qui précédèrent la Seconde Guerre mondiale, les entrepreneurs canadiens-français se comptaient sur les doigts d'une seule main, mais E.-A. Dubuc, ex-gérant d'une succursale bancaire qui avait pris les rênes de la Compagnie de pulpe de Chicoutimi se démarqua de ses concitoyens par ses initiatives progressives. Comme il vendait ses pâtes de papier en Angleterre, il fit construire Port-Alfred pour accélérer son commerce outre-Atlantique.

Les villageois de Saint-Cyriac, pour la plupart des agriculteurs, des bûcherons et des ouvriers qui gagnaient leur croûte à la sueur de leur front, assistaient, impuissants, aux différents épisodes de leur propre tragédie qui se jouait à des niveaux supérieurs sans qu'ils soient consultés.

Absents de leur avenir, victimes d'une certaine façon des enjeux économiques, manipulés par les autorités politiques, religieuses et économiques (la compagnie de pâtes et papiers), on leur répétait à satiété qu'ils étaient nés pour un petit pain et qu'ils devaient faire des grosses familles, dont les autorités clamaient les vertus (le pire, c'est qu'ils y croyaient). Mais l'appareil médical n'était pas organisé ni assez fonctionnel pour accueillir une pareille progéniture. Dans ce domaine, le Québec détenait des records.

Ainsi, des milliers de nouveau-nés ne survivaient pas à l'accouchement ou mouraient – quand ce n'était pas la mère – prématurément; les forts restaient, les faibles disparaissaient. Comme dans la nature qui procède à sa propre élimination naturelle, les éléments sains en réchappaient, les éléments faibles mouraient.

Les habitants du village de Saint-Cyriac dépendaient en presque totalité – pour ceux-là qui n'étaient pas agriculteurs – des activités forestières des grandes compagnies, souveraines sur d'immenses territoires concédés par le gouvernement à vil prix. Personne ne pouvait circuler dans ces fiefs immenses sans une autorisation. À même les richesses naturelles, des entrepreneurs et des milliers d'actionnaires de grandes compagnies américaines et anglaises s'enrichissaient aux dépens d'une population qui ne voyait pas beaucoup plus loin que son nez, desservie par ailleurs par des politiciens qui n'avaient aucune prescience du lendemain.

***

Après une journée bien remplie, Ludger Gagnon et sa femme Éva s'efforçaient de réprimer un sentiment de détresse.

Plutôt petit, large d'épaules et fort comme un ours, Ludger, quoique sévère avec les enfants, était un homme très doux, timide, peu démonstratif, taciturne même ; non pas un type renfermé ou renfrogné, mais enclin à butiner avec les pensées de son monde intérieur.

Contrairement à son mari, Éva se montrait exubérante, rieuse, enjouée, obsédée par son désir d'atteindre la perfection dans son labeur quotidien. Ses enfants craignaient ses colères homériques imprévisibles, souvent pour des banalités.

Ludger représentait le calme plat et Éva, la tempête. Affectée par ses nombreuses maternités (elle eut dix-neuf enfants et mourut prématurément d'angine de poitrine), elle porta le fardeau trop lourd d'une famille nombreuse sur ses faibles épaules.

« As-tu des nouvelles du barrage ? » demanda-t-elle, frissonnante, car elle n'ignorait pas les enjeux d'une possible inondation.

Ludger les connaissait et appréhendait, comme tous les agriculteurs de Saint-Cyriac, ce que le curé appelait un éventuel désastre environnemental.

« Je crois qu'il va falloir déménager, Éva. Ils disent qu'ils vont nous relocaliser.

— Allons-nous perdre notre ferme ? demanda Éva d'une petite voix.

— Oui, on va la noyer... comme pour toutes les terres des cultivateurs. Il faut partir.

— C'est terrible, dit-elle. Mon Dieu, on ne mérite pas ça ! »

Un lourd silence plana dans la grande cuisine de la modeste maison.

« Oui, il va falloir recommencer à neuf. On ira ailleurs, Éva. C'est comme ça, trancha Ludger sur un ton fataliste.

— Après tous les sacrifices qu'on s'est imposés ?

— C'est comme ça, répéta Ludger. On n'y peut rien, ma femme. »

Cultivateur, il aimait sa terre, ses champs, ses bâtiments modestes, le lever à l'aurore quand la première tranche de soleil absorbait la fin de la nuit, le vagissement des vaches en attente de la traite dans une liberté totale qu'il assumait au rythme de la tambourinade du lait sur les parois du seau, la tête appuyée dans l'oreiller de poil du flanc de ses bêtes, pendant que ses doigts vigoureux faisaient valser les pis roses et tendres avec des mouvements de pesante langueur. Les senteurs âcres de l'étable et les parfums du matin qui voyageaient dans l'air lui donnaient l'absolue conviction que, malgré les obstacles, la fatigue, il avait opté pour le plus beau métier du monde : remuer la terre, ouvrir des sillons et s'asseoir sous un arbre pour boire dans un cornet d'écorce de bouleau l'eau fraîche d'un ruisseau voisin.

Homme des grands espaces, Ludger espérait trouver l'équivalent autre part, car on lui avait offert une risible somme d'argent pour qu'il aille s'installer ailleurs, avant d'être englouti, avec toute sa famille, sous des tonnes d'eau.

À prendre ou à laisser.

***

L'immense surplus d'eau du réservoir du lac Kénogami, que les autorités – impuissantes – ne pouvaient contenir à l'intérieur d'une zone déterminée, grignotait les rives, se déversait dans les champs environnants en noyant les pâturages et les pacages, dessinait les normes de sa future occupation, submergeait les prés, établissait chaque jour sa domination sur un territoire sans cesse élargi par des masses liquides qu'aucune puissance humaine ne pouvait arrêter. En quelques jours, le village de Saint-Cyriac fut rayé de la carte. Toutes les maisons et les dépendances construites sur les terres environnantes furent englouties – sauf l'église –, dévorées par une crue vorace à la soif incompressible. Des lames d'eau ondulantes et capricieuses se repaissaient de bosquets et de petits arbres, emplissaient les dénivellations des terrains et des champs, formaient des bassins immenses s'étirant tels des tentacules géants qui s'enroulent autour d'une proie convoitée.

Lorsque la nature eut fourni à l'homme un exemple effrayant de sa puissance et de sa vitalité, qu'elle eut, en peu de temps, absorbé des milliers d'acres et redessiné un nouveau paysage d'un lendemain de déluge, on aurait cru, à vol d'oiseau, voir une immense cuvette reliée à de gros étangs d'où émergeaient des têtes d'arbres de diverses essences dont la base était enfouie dans une mer crevassée et les cimes flottaient sur l'eau. Le niveau d'eau de cette immense mare atteignit à certains endroits plus de 11 m.

Il y avait déjà belle lurette que les habitants de ce secteur dévasté avaient déménagé leurs pénates ailleurs pour repartir de zéro, victimes d'un dérangement de la nature provoqué par les coupeurs de forêts à qui l'on aurait pu décerner un certificat d'imprévoyance et de capitalisme sauvage, forçant la migration de dizaines de familles jusque-là sans histoire.

Ludger et Éva choisirent de s'installer à proximité de Saint-Félicien, au Lac-Saint-Jean, petite municipalité à vocation agricole, carrefour industriel jouxtant par le chemin de fer les centres nerveux du commerce et la ville minière de Chibougamau – lieu de rencontre dans la langue montagnaise –, une étape nécessaire avant de reprendre la piste pour la baie d'Hudson, l'un des grands carrefours du commerce de la fourrure, gigantesque territoire de chasse et de pêche exploré par le père Albanel en 1651.

Brièvement, rappelons que l'explorateur Louis Jolliet, parti de Tadoussac, traversa le lac Saint-Jean et atteignit la baie d'Hudson par la rivière Rupert, après plus de cent vingt portages exténuants.

C'est à Radisson que l'on doit l'établissement de la baie d'Hudson. À proximité de la rivière Nelson, il avait fondé en 1670 le poste de York Factory, fréquenté par une multitude de trappeurs. Les Cris y conduisaient d'immenses flottilles de bateaux remplis de fourrures et Radisson, pour se venger des injustices commises à son endroit par les administrateurs français, invitait ses fournisseurs à répandre le bruit que les Anglais payaient mieux que les Français.

Mais les rêves de Ludger et d'Éva, lésés comme tant d'autres par les grands entrepreneurs forestiers, étaient plus terre à terre. Ils ne cherchaient pas l'aventure mais un secteur paisible pour élever leur famille.

Ludger acheta une terre au rang Simple, voisin du rang Double, ensemble de concessions caractérisé par un système agraire typique au Lac-Saint-Jean comme dans tout le Québec. Il n'y avait des habitations que sur un seul côté de la route.

La vie continuait.

Ludger reprenait courage. Il retrouvait ses grands espaces et, avec eux, son indépendance et la fierté farouche de ceux qui ouvrent des sillons dans la terre généreuse pour nourrir leurs familles nombreuses.

Chapitre 3

Des années inquiétantes au rang Double

Le rang Simple et le rang Double se ressemblaient comme deux jumeaux. De grands espaces, de vastes champs traversés par de gros ruisseaux regorgeant de truites, quelques maisons éparpillées dans un décor austère, vert l'été, blanc en période hivernale, donnaient l'impression d'une sorte de savane sauvage enveloppée dans le manteau d'un silence pesant. À part le gazouillis des oiseaux, le meuglement des vaches dans les pacages et les bruits épars émis par les petits animaux errant dans les clairières, on aurait pu entendre ronfler une musaraigne couchée dans un champ. La plupart du temps, c'était le calme plat, sauf les jours d'orage quand la pluie cravachait les maisons.

Le déménagement de la famille Gagnon dans le rang Double s'effectua par une journée glaciale de novembre.

Ludger et Éva étaient sombres, malheureux, inquiets. Tant d'épreuves en si peu de temps – la première à cause d'un village inondé et la deuxième pour une hypothèque non payée entraînant la saisie de leur terre, gagne-pain de la famille – démolissaient le moral d'un couple qui se donnait beaucoup de mal pour élever sa marmaille.

Nous avions eu durant cinq ans une vie heureuse au rang Simple, raconte Dolly. La maison était vaste, pourvue d'eau courante, avec une grande cuisine et des chambres fermées au deuxième étage. Une seule ombre au tableau, il n'y avait pas de toilette. Le système des chaudières que nous vidions de leurs excréments le matin était un sérieux handicap dont il fallait s'accommoder. Nous quittions une habitation tout de même confortable pour un logis aux planches mal jointes et aux fenêtres par lesquelles s'immisçait l'air froid, les courants d'air se glissant dans les interstices des murs pour nous rendre la vie difficile. Le matin, l'humidité, que nous avions du mal à chasser, nous faisait frissonner. À cette époque, j'avais cinq ans. Je pouvais difficilement évaluer ce qui nous arrivait, mais mes frères et sœurs en parlaient à mi-voix, jamais devant mes parents, de crainte de les blesser davantage. C'est à partir de ce moment-là, se souvient-elle, que la santé de mes parents se détériora.

Mon père n'était plus l'homme libre d'antan, quand il marchait dans les sillons de son champ, qu'il égrenait une motte de terre noire ou interrogeait l'horizon pour savoir quel temps il ferait, ou encore qu'il soignait ses animaux convoyés de Saint-Cyriac au rang Simple. Maintenant, il prenait sa boîte à lunch pour aller travailler à la shop de Cansau, c'est ainsi qu'on appelait une scierie de Saint-Félicien où plusieurs de mes frères et sœurs ont travaillé. Ce moulin à scie appartenait aux frères Castonguay, lesquels fabriquaient des boîtes pour les pommes ainsi que des casseaux pour les bleuets, les fraises et les framboises. Le régime à la scierie ne convenait pas vraiment à mon père. C'était un homme de grands espaces. Les maux d'estomac s'en mêlèrent. Plus tard, après qu'il eut une hémorragie interne, je sus qu'il souffrait d'ulcères.

Maman n'allait pas très bien non plus. Ses crises d'angine se multipliaient. Elle étouffait, réclamait de l'aide, poussait des cris affreux. Je tremblais de peur... et j'allais me cacher pour ne pas la voir. Très fière, elle se sentait mortifiée d'être dans un tel état, mais elle reprenait le dessus, s'efforçait de surmonter ses moments douloureux pour que ses enfants ne soient pas affectés par son calvaire, car elle réalisait que nous le partagions, d'une certaine façon. Sa maladie la rendait plus calme, moins obsédée par sa manie de la perfection. Lors des accalmies, elle reprenait confiance et nous donnait la mesure de son courage exemplaire, sans pour autant abandonner totalement son autorité. Je me sentais heureuse de la voir recouvrer un comportement normal, mais d'instinct je savais que d'autres crises s'en venaient. Lorsque tout était terminé, elle nous disait d'une petite voix câline et tendre : « C'est fini, les enfants! Je vais beaucoup mieux. La vie reprend. » Alors, ma panique fondait, je souhaitais que maman guérisse, car ses attaques d'angine nous mettaient tout à l'envers tant ses cris de détresse étaient difficiles à vivre.

Dolly prend soin de souligner qu'elle ne craignait pas sa mère – très affectueuse avec elle –, seulement ses crises d'angine, car Éva se débattait et criait, entre deux contractions cardiaques, pour retrouver une respiration normale. Pour une enfant de cinq ans, c'était difficile à vivre.

Si la maison du rang Double, chaude et mieux équipée, n'offrait qu'un confort relatif, celle du rang Simple était primitive. La chaudière qu'il fallait vider le matin remplaçait les toilettes, et le confort, tel qu'on le conçoit aujourd'hui, ne se retrouvait que dans les demeures des grands bourgeois. D'autre part, les maisons habitées par la majorité des travailleurs de l'époque n'étaient pas assez grandes pour que les enfants, garçons et filles, aient une chambre à eux pour profiter d'un peu d'intimité.

Chez beaucoup de cultivateurs, le dortoir du deuxième étage ressemblait à un camp militaire. Les garçons couchaient d'un bord, sur des lits étroits, et les filles de l'autre, la pièce étant séparée par des draps suspendus à un fil ou à une corde qui traversait une salle commune dépourvue de tout raffinement. Cette promiscuité obligatoire provoquait parfois des situations tendues pour les femmes à la recherche d'intimité.

Les curés, ayant peu d'expérience dans le domaine familial, brandissaient l'oriflamme des grandes familles, oubliant que les conditions acceptables de logement et de confort essentiel pour les élever décemment n'étaient pas au rendez-vous. Les grandes familles ont besoin d'espace.

Il nous faut ici introduire un personnage flamboyant qui menait tout le monde à la baguette.

Le curé de Saint-Félicien, Simon Bluteau (1917-1953), censeur autoritaire des bonnes mœurs, proclamait que les jeunes filles devaient être bonnes, sages, instruites, et qu'elles devaient aspirer à la reconnaissance sociale que procure le mariage. Son petit catéchisme personnel contenait une kyrielle d'observations pour celles qui auraient la chance de marier le fils d'un cultivateur. « Ce choix, écrit-il, s'exprime sous la forme d'un toit, d'un repas assuré, d'une bonne terre à cultiver. » Ce grand spécialiste de la question féminine renchérit en disant que « le mariage pour une jeune fille est l'aboutissement de sa dignité de femme ».

Dans une charge à fond de train contre les brebis galeuses, il condamne les « esclaves de mauvais goût et des excentricités courantes que l'on rencontre à toute heure sur la rue; des filles cherchant un garçon qui leur fera l'amour. Ces femmes de mauvais goût attisent les mâles par le regard et le costume ».

Pour le curé Bluteau, le prétendant sérieux visite sa bien-aimée selon les conventions, c'est-à-dire le mardi, le jeudi, le samedi et le dimanche, ce qu'il nomme les « bons soirs ». Les garçons qui travaillent dans les chantiers n'ont droit qu'au samedi et au dimanche. Il est interdit aux amoureux de se prendre les mains ou de s'embrasser; on se vouvoie et l'on se contente de se regarder dans les yeux. Il défend même aux filles de patiner avec les garçons en se tenant par la taille.

« Que les filles, conseille-t-il, soient toujours sous la surveillance étroite de leur père et de leur mère en tout lieu et toute circonstance. » Ce tissu d'âneries s'étend donc à la vigilance que doivent exercer les parents pour protéger la vertu de leur fille.

Autres temps, autres mœurs.

Dolly était trop jeune et trop imprégnée par son milieu forcément chrétien et catholique pour comprendre les enjeux en cours et évaluer les conséquences à long terme d'une pareille oppression sur la vie privée des paroissiens. Ce directivisme étroit allait se heurter à des facteurs incontournables tels le progrès et l'évolution de la société québécoise, dont le train en marche balayait les concepts, préceptes, tabous et préjugés.

Dans un style incisif et clair, Jean-Charles Harvey, un auteur hardi pour le temps, publiait *Les demi-civilisés*, en 1934, ouvrage critique de sa société dans lequel il dénonçait les outrances de l'Église catholique du Québec. Ce livre qualifié d'abominable, plutôt insignifiant si on le relit aujourd'hui, entraîna son congédiement d'un quotidien de la vieille capitale où il œuvrait à titre de journaliste et le força à s'exiler à Montréal, la ville où régnaient Satan et sa cohorte de démons.

Une courte digression pour souligner que dans l'administration et la surveillance quotidienne du péché, le clergé québécois ne se montra pas très cohérent, ni rationnel, la danse étant un péché dans tel diocèse mais permise dans le diocèse voisin. Époque d'autoritarisme dont on continue à payer cher les dérives financières, culturelles et morales:

- *Financières*. La construction d'églises immenses et de cathédrales aujourd'hui désertées, pendant que les protestants construisaient des temples plus modestes et donnaient des salaires raisonnables aux institutrices au lieu de les affamer;
- *Culturelles*. Le nu dans l'art, la chanson d'amour suspecte, la danse mise au ban, le bannissement de l'art profane et d'autres mesures aliénantes contribuèrent à noyer de beaux talents, forçant de nombreux artistes québécois à s'expatrier pour produire des chefs-d'œuvre;
- *Morales*. En contraignant les paroissiens à des règles de conduite souvent impraticables, si l'on prend la mesure de l'homme, on nourrissait une morale de façade au détriment d'une saine moralité, ouvrant ainsi la porte à l'hypocrisie et aux abus de toutes sortes sous le masque de la vertu.

Par le biais du confessionnal, l'Église disposait d'un véritable réseau de renseignements grâce, surtout, aux confidences et au bavardage des femmes, lesquelles fournissaient aux confesseurs des renseignements de première main.

Le curé Simon Bluteau, de Saint-Félicien, incarnait le type de religieux intransigeant comme il y en avait dans toutes les paroisses rurales du Québec à l'époque où Dolly était une gamine sémillante de cinq ans, aussi pure et innocente que l'enfant dans ses langes.

Au rang Double, le curé aurait pu donner la communion à toutes ses ouailles... sans confession.

***

Bien qu'elle fût de constitution fragile, Éva Saint-Gelais mit au monde dix-neuf enfants, dont huit à Saint-Cyriac. Les onze autres enfants, dont Dolly, naquirent au rang Simple ou à Saint-Félicien, quand Ludger, toujours employé à la scierie, crut bon de déménager dans ce village, plaque tournante du commerce à proximité de l'immense lac Ashuapmushuan, aussi nommé Chamouchouane, dont la rivière – « là où l'on attend le caribou » – prend sa source à la hauteur du bassin de la baie d'Hudson et de celui du fleuve Saint-Laurent, se frayant un chemin à travers les terres boisées sur une distance de 274 kilomètres.

Ma sœur Mariette, ma marraine, habitait au rang Simple. Elle était ma confidente, une conseillère que j'aimais beaucoup, relate Dolly. Elle me comprenait à mi-mots. Elle se montrait très attentive aux besoins de ma petite personne. Durant les crises d'angine de ma mère, je me réfugiais souvent chez elle pour pleurer toutes les larmes de mon corps. Elle me réconfortait. « Quand tu auras quelques années de plus, me disait-elle, tu comprendras mieux les problèmes de maman. Elle n'a pas eu la vie facile. » Mariette soupirait. « Nous devons l'aider de notre mieux, chacun à sa façon. » Je revenais à la maison, détendue et soulagée. Je venais d'avoir 12 ans lorsque mourut ma mère, en septembre 1946, à l'âge de 54 ans. Costaud physiquement, mais fragilisé par la perte de sa ferme et un travail qu'il n'aimait pas vraiment, mon père décéda en juin 1964, à l'âge de 83 ans. J'avais alors 31 ans. Je ressentis une douleur profonde; perdre ses parents, c'est un peu de toi qui s'en va. Mais à toutes les étapes de ma vie, j'ai toujours montré beaucoup de maturité face aux événements. Ce n'est pas parce que l'on est une petite personne que les problèmes humains nous échappent. Je devinais que la vie n'était pas aussi belle qu'on le prétendait, mais qu'elle avait ses côtés intéressants.

***

Dolly se souvient du flamboyant curé Simon Bluteau, un homme avec lequel les citoyens devaient compter et composer, le cas échant, dans les matières les plus diverses. Jamais homme ne fut plus occupé à pourfendre les mauvais garçons et les filles aux mœurs légères qui arpentaient la rue principale dans une tenue peu convenable.

Sous la houlette du curé Bluteau – il ne savait pas au départ que son règne durerait trente-six ans à Saint-Félicien –, la vie pastorale de ce gros village sous surveillance était dominée par un despote qui ne laissait rien passer sans y ajouter son grain de ciel et ses observations corrosives.

Ce n'était pas le genre d'hommes à mettre des gants blancs pour sermonner ou tancer ses ouailles sans ménagement ou compromis, de raconter Dolly. Il se croyait imbu d'une autorité divine et dans son esprit, Saint-Félicien était son fief incontesté. On le voyait partout où on ne l'attendait pas, son chien Picoté sur les talons.

Pour plusieurs paroissiens, Simon Bluteau avait la trempe et la foi des évangélisateurs de la Nouvelle-France qui suivaient les explorateurs dans leurs folles équipées. Catéchiser les infidèles, ramener au bercail les brebis égarées, affronter les méchants sur leur propre terrain, les confondre sur la place publique ou du haut de la chaire, toutes les tactiques étaient bonnes pour pulvériser l'adversaire et les démons à visage humain, trop nombreux à Saint-Félicien, un rendez-vous choisi par Satan lui-même pour les débauchés de la région, les ivrognes, les putes, les femmes aux mœurs dissolues, et tout ce que le Lac-Saint-Jean comptait de vicié, de pourri, de calamiteux, de funeste à la rédemption des âmes.

Doté d'une forte personnalité, ce fils de cultivateur né le 15 juin 1873 à Saint-Alphonse-de-Bagotville avait fait ses études classiques au Petit Séminaire de Chicoutimi (1891-1897) et ses études de théologie au Grand Séminaire de Chicoutimi (1897-1901). Ordonné prêtre à l'église Saint-Alphonse-de-Bagotville, d'abord curé à Chambord (1914-1917), où il sema le bon grain et se fit connaître par sa sévérité et son intransigeance, son évêque lui confia la cure de Saint-Félicien, où il débarqua le 3 décembre 1917, décidé à faire le grand ménage et à imposer un modèle d'administration et de bonnes mœurs. Dans un pays de bûcherons, de coureurs des bois, de scieurs de «pitounes», il est difficile de transformer un *lumberjack* en dandy. La population de ce gros village, sauf quelques exceptions, ne faisait pas dans la dentelle. Les rêves au jour le jour ne volaient pas très haut, la servitude de la survivance accaparant toutes les énergies de braves gens aux ambitions modestes. On ne nourrit pas une famille nombreuse avec des prières, mais le credo du nouveau curé pouvait laisser croire que la manne tombait du ciel en permanence.

Dès son installation, Simon Bluteau mit tout en branle pour éliminer les vendeurs d'alcool et perpétuer – dans son style et à sa manière – le combat entrepris par ses prédécesseurs. Ses prônes reflètent une certaine outrecuidance et parfois un manque évident de charité chrétienne, comme en témoignent ses dénonciations.

> Nous avons eu dernièrement la visite de mauvaises femmes (la Rouleau). Comme une bande de corbeaux s'abattent sur une charogne, ainsi il a suffi de quelques gourganes (prostituées) dans l'Afrique (la Friche) pour mettre en mouvement tout ce que Saint-Félicien compte de moins honorable. Ce qu'on a eu de plaisirs dans ces excursions nocturnes, c'est incroyable. On s'est traîné dans la brousse avec des femmes pourries physiquement et moralement. On a bu, on s'est fait voler son argent (on ne s'en vantera pas), je ne peux pas dire qu'on s'est fait voler son honneur, on n'en avait pas! Conséquences, on a attrapé la syphilis, si on ne l'avait pas déjà, et c'est ainsi que le nombre de ceux qui dans dix ans seront morts pourris va grandissant. On a la syphilis et on la propage autour de soi.

Mes biens chers frères, voulez-vous savoir quels sont ceux qui se sont ainsi dégradés? Consultez les honnêtes gens du village qui ont eu connaissance de l'affaire. J'avertis ces honnêtes gens de dire toute la vérité, tout ce qu'ils savent au sujet de la mauvaise conduite de cette ouaille. Et quand on saura qu'un tel et un tel ont été avec des femmes qui ont la syphilis, avec des femmes pourries, on les évitera, on se tiendra à l'écart, on les fuira comme on fuyait autrefois ceux qui avaient la lèpre, on se les montrera du bout du doigt en disant: il a été avec la gourgane. Tout bas: faites attention à la syphilis[2].

De tels propos détonnent, mais il faut en juger dans le contexte d'alors, l'Église étant omniprésente et omnipotente dans la vie des gens.

Son pouvoir est absolu, et c'est dans cet esprit que le curé Simon Bluteau veut nettoyer sa paroisse de tous les éléments indésirables. Il statuera sur tous les sujets – danse, patinage, tenue vestimentaire, hygiène –, bref, ce pourfendeur du mal mène un combat sur un large front, épaulé par diverses associations et des légionnaires de la purification qui s'enrôlent sous sa bannière. Sus aux méchants et vilains péchés, ceux de la chair étant combattus avec plus de vigueur et de ténacité, car les gens de Saint-Félicien auraient été plus tentés par le diable et ses suppôts que partout ailleurs au Lac-Saint-Jean.

Durant son mandat, sa méthode de redressement des bonnes mœurs alterna entre la méthode douce et la méthode forte, cette dernière jouissant d'un préjugé favorable pour un curé qui n'aimait pas les compromis.

J'ai bien connu ce brave curé, fils de cultivateur, se remémore Dolly. D'ailleurs, les jeunes gens qui ont embrassé la vocation sacerdotale, issus de milieux modestes du Lac-Saint-Jean ou du Saguenay, furent pour bon nombre sélectionnés par des recruteurs qui allaient dans les

2. Pierre. L. Côté, *Saint-Félicien: son histoire religieuse*, Éditions de la Fabrique de la paroisse de Saint-Félicien, p. 113.

paroisses pour trouver des candidats à la vocation religieuse. D'une certaine façon, nous étions concernés par les dénonciations du curé Bluteau, car mes frères s'étaient portés acquéreurs d'un petit hôtel à Saint-Félicien, pas très loin de l'église où pas mal de brebis – les ouailles, comme disait le curé – se regroupaient pour lever le coude. Je dois avouer que la bière coulait à flots, à tel point que le livreur se demandait souvent comment un si petit établissement pouvait rafraîchir autant de gosiers tant les commandes devenaient de plus en plus grosses.

Chapitre 4

Le lourd chagrin de mon père

Les cultivateurs du Saguenay et du Lac-Saint-Jean ne vivaient pas dans la dépendance des grandes chaînes alimentaires. Ils comblaient eux-mêmes tous leurs besoins matériels. Ils élevaient des moutons, les tondaient et confiaient la laine pour le cardage à de petits moulins artisanaux, nombreux dans toutes les régions du Québec. Une fois cardée, la laine était retournée à leurs propriétaires, qui s'en servaient pour divers usages domestiques.

Au rang Simple, comme à Saint-Félicien, les loisirs se résumaient à peu de choses. À part la balle molle et les jeux usuels sur le terrain de l'école, les offices religieux mobilisaient les travailleurs, le parvis de l'église étant la plate-forme idéale pour fraterniser et échanger les dernières nouvelles. Cette vie pastorale s'intégrait parfaitement aux mœurs de gens simples dont la philosophie pratique se résumait à un seul mot : survivre. Il ne faut pas oublier qu'à cette époque les paroissiens acquittaient leurs dîmes avec des cordes de bois ou des animaux fraîchement tués, à moins qu'ils ne remplissent des corvées définies par le curé.

Le mois de Marie, fort attendu et préparé de longue main, restait un événement dominant, galvanisant, qui sortait les gens de leur routine. Tous se faisaient un devoir d'assister aux fêtes religieuses qui se succédaient, car il y avait une panoplie de cérémonies. Là où se dressaient les croix de bois rêveuses et solitaires, à l'intersection de certaines routes poussiéreuses, la coutume voulait qu'on se recueille pieusement, souvent genou en terre.

Pour qu'elle soit confortable et apte à recevoir les membres de sa famille nombreuse, Ludger Gagnon avait réaménagé fonctionnellement la maison du rang Simple où, désormais, il allait essayer de survivre sur une terre moins riche que celle de Saint-Cyriac. Il regrettait son expropriation et son humeur s'en ressentait. Éva, qu'il avait connue à Laterrière dans sa vingt-septième année, n'était à cette époque qu'une jouvencelle, mais les femmes du début du siècle dernier, habituées à surmonter les difficultés du dur quotidien, montraient beaucoup de maturité, possédaient le sens du devoir et de l'abnégation, et n'hésitaient pas à sacrifier beaucoup de choses pour le bien-être de leurs rejetons, anxieuses de les voir réussir dans la vie.

Administratrices, conseillères, elles pilotaient pour bon nombre la barque familiale. Conscientes de leur pouvoir à l'intérieur du ménage, ces femmes jouissaient d'un fort prestige et de beaucoup de discernement dans la conduite des affaires domestiques.

Appelé d'urgence au chevet de ma mère souffrante et affaiblie, se souvient Dolly, le médecin de campagne se fit attendre longtemps pour une raison majeure: aveuglé par la neige poudreuse, il avait perdu la maîtrise de son véhicule, qui s'était embourbé dans un fossé. Néanmoins, il arriva à temps pour procéder à l'accouchement.

Une courte digression pour expliquer l'étonnante fécondité des mères canadiennes-françaises, les championnes mondiales de la natalité.

Rappelons brièvement que l'arrivée au Québec de 40 000 loyalistes, provoquée par la révolution américaine, bouleversa un moment les rapports démographiques. Plus de 10 000 de ces immigrants s'installèrent sur les rives du Saint-Laurent, depuis le lac Saint-François jusqu'à Niagara, déclenchant un immense mouvement migratoire encouragé par l'Angleterre qui finit par surpasser les effectifs de la population canadienne-française.

D'autre part, les Canadiens français émigrèrent en grand nombre aux États-Unis (1831 à 1844), à tel point qu'ils purent fournir, de 1860 à 1865, 40 000 soldats aux armées américaines pendant la guerre de Sécession. Environ 25 000 ménages du Québec – à partir de la Conquête – donnèrent naissance à 2 600 000 enfants et, malgré les conditions de vie difficiles, la mortalité infantile, la tuberculose et l'absence de soins médicaux, contribuèrent un essor démographique sans précédent qualifié de «revanche des berceaux». Pour les couples, une grande famille était un but, l'héritage, la continuité, le capital humain indispensable pour contrebalancer l'envahisseur.

***

Dans cette spirale de fécondité qui vit croître la natalité d'une façon explosive naquit Dolly.

J'étais la dix-huitième d'une famille de dix-neuf enfants. Je vis le jour six mois après la naissance des jumelles Dionne dont les photos firent le tour du monde. De Saint-Cyriac au rang Simple, beaucoup de choses avaient changé, raconte Dolly. Je naquis le jour, le 1er décembre 1933, six ans avant le début de la Seconde Guerre mondiale (1939-1945). À mon arrivée dans ce monde insolite dans lequel nous vivons, je pesais, à terme, tout juste quatre livres. Par la formation physique de mes doigts et de mes orteils, le médecin, dès le premier examen, constata que j'allais évoluer dans l'univers complexe du nanisme. J'étais d'un format si réduit qu'il m'installa sur la porte du fourneau du gros poêle Bélanger et m'alimenta, les premiers jours, avec du lait mélangé avec un peu de brandy.

Dans l'évocation de ses souvenirs, Dolly se rappelle que sa mère, alors âgée de 42 ans, épuisée par cette nouvelle maternité et trop malade pour allaiter son bébé, luttait elle-même pour rester en vie.

À ma naissance, enchaîne-t-elle, ma sœur Yvonne ayant eu deux enfants, j'avais déjà, fait surprenant, un neveu et une nièce plus vieux que moi de deux ans. L'année même de ma naissance, Valérienne et Mariette, deux autres de mes sœurs, se marièrent, de sorte qu'à 18 mois je comptais plusieurs neveux et nièces un peu plus âgés que moi. Mon frère Ulysse, plus vieux que moi de 23 ans, passait souvent pour mon père, alors que les gens croyaient que mon paternel était mon grand-père. Hélas! je n'ai pas eu la joie de connaître mes grands-parents.

En évoquant les principales étapes de son enfance au rang Simple, Dolly, sans être historienne ou érudite, a souvenance que dans les années précédant le deuxième conflit mondial, le monde du spectacle en était à ses premiers balbutiements, la radio devenant en 1922 l'outil numéro un de la communication de masse, un agent de rapprochement et de développement culturel. Elle introduisit et fit connaître des personnages qui enfiévrèrent les imaginations: Jovette Bernier, Blanche Gauthier, Henri Letondal, Claude-Henri Grignon, l'auteur d'*Un homme et son péché*, et beaucoup d'individus qui, sans la radio, n'auraient jamais émergé. *La Presse*, *L'Action catholique*, *Le Soleil*, enfin, tous les grands quotidiens de l'époque parvenaient au Lac-Saint-Jean, au Saguenay ou en Gaspésie avec trois mois de retard.

De 1922 à 1930, les appareils de radio fonctionnaient au moyen d'un cristal, et l'auditeur devait obligatoirement mettre des écouteurs sur ses oreilles. Mais la technologie évolua très vite; en 1930, l'électronique et le haut-parleur firent leur apparition.

Lorsque la radio débarqua à Saint-Félicien et dans d'autres petites municipalités du Lac-Saint-Jean – le plus souvent par l'entremise d'un voyageur de commerce qui parlait, à l'hôtel local, du merveilleux progrès dans le monde des communications –, le clocher des églises servait d'antenne pour capter les émissions diffusées par CKAC, la station installée sur le toit du quotidien *La Presse*.

Ceux qui avaient le bonheur de posséder un récepteur à cristal organisaient à leur domicile des soirées d'amis au cours desquelles on se passait les écouteurs. En attendant leur tour, les femmes tricotaient des mitaines pour leurs enfants. C'était le bon temps. Les prix affichés à l'hôtel: déjeuner, 0,75 $; coucher, 1,25 $; souper, 1,25 $; cheval à l'écurie du soir au matin, 1,50 $. Le système routier hors des villes étant à peu près inexistant, les voyageurs utilisaient le cheval pour pénétrer à l'intérieur des terres.

Très éprise de la tradition, se souvient Dolly, ma famille véhiculait les valeurs de l'époque, celles du partage et du dévouement. Nous avions tous et toutes le sens du devoir et des responsabilités, et nos principes étaient soudés dans nos esprits comme une cheville de bois dans une poutre. Ma petite taille me conférait auprès de mes frères et sœurs un statut privilégié. Couvée, gâtée, dorlotée, portée sur la main, j'étais pour eux comme une poupée, un objet fragile que l'on devait protéger. Même à l'école primaire du rang Simple, où je me rendais accompagnée par mon chien Boule, on avait pour moi beaucoup d'égards, sans jamais m'humilier par les moqueries usuelles ou des observations méchantes. Je n'ai jamais eu de complexe d'être une naine dans un monde de grandes personnes et, à ma manière, en classe ou ailleurs, je savais tirer mon épingle du jeu en transformant mon handicap en atout. De nature primesautière, rieuse, espiègle, je n'étais pas du genre à broyer du noir et à me plaindre de mon sort. Ma gaieté intérieure contribuait à mon harmonie et, gamine, j'étais comme un feu follet dans un champ de marguerites.

Chez nous, nous étions des gens de plaisir. Bien que mon père fût un homme timide, réservé, il était bon vivant et aimait festoyer, tout comme ma mère. Rien ne leur faisait autant plaisir que recevoir des visiteurs, surtout dans le temps des fêtes, un moment privilégié pour réunir la famille. Nous étions un clan très uni.

Dieu sait si les clans fourmillaient au Lac-Saint-Jean et au Saguenay. La période précédant Noël donnait lieu à toutes sortes de festivités, à des sorties pour voir parents et amis, à la fraternité, au répit, à la boustifaille, précieux moments que couronnait la messe de minuit. Les travailleurs de la terre s'amenaient à Saint-Félicien, leurs carrioles bien frottées tirées par des bêtes fringantes. Personne ne voulait manquer cette messe. Une heure avant qu'elle commence, les femmes, habillées de leurs plus beaux atours, se retrouvaient sur le parvis de l'église, cependant que les hommes dételaient leur cheval à l'écurie, où ils avaient loué une place. Les discussions portaient sur les récoltes, les dernières machines agricoles et les projets en cours. L'un construirait une nouvelle grange au printemps, l'autre un grand poulailler, certains économisaient pour améliorer leur maison.

S'ils badinaient sur le portique de l'église, les parents tenaient des propos sérieux, responsables, liés à leurs préoccupations individuelles. Pour eux, la vie n'était pas un cadeau, mais un fardeau qu'ils devaient porter. Les festivités de Noël leur permettaient d'échapper à la routine d'une vie sans loisirs véritables, uniquement consacrée au travail. Dolly elle-même travaillait comme serveuse à l'âge où les adolescentes vont toujours à l'école.

***

L'école du rang ne payait pas de mine. Elle logeait dans un local minable, humide et froid chauffé par une truie centrale, sorte de baril juché sur des briques qui répandait dans la pièce une chaleur inégale. Sauf pour le tableau noir et les pupitres classiques qui ressortaient dans ce décor misérable, austère et rébarbatif ainsi que quelques images pieuses accrochées aux murs défraîchis, rien n'était mis à contribution pour donner un peu de vie et d'ambiance à l'école du rang.

Si les nains en général se sentent ostracisés, malheureux et mal-aimés, ce ne fut pas le cas de Dolly, protégée et dorlotée dès la petite enfance par sa famille et son entourage, «portée sur la main», pour employer sa propre expression. Les individus atteints de nanisme n'étaient pas légion à Saint-Félicien. «J'étais la seule. Un objet de curiosité pour la population, une poupée pour certains, une gamine qui ne grandissait pas comme les autres», de dire Dolly, flattée d'avoir trouvé dans son patelin des gens qui l'adoraient. Elle ne fut donc pas rabrouée et mise à l'écart à l'école du rang, la maîtresse éprouvant pour elle une sincère affection.

Les commissaires d'école, pour bon nombre bornés, peu instruits et sans raffinement, choisissaient les institutrices laïques non pas en fonction de leur savoir ou de leur méthode pédagogique, mais parce qu'elles étaient trois fois moins payées que les institutrices du réseau public d'enseignement catholique.

J'aimais l'école, mais ce que j'aimais davantage, c'était d'aiguiser ma curiosité. Et même si l'école n'était pas parfaite, comme toutes les institutions, je ressentais un vif plaisir à la fréquenter, à m'y rendre avec mon chien Boule, que j'attelais à un traîneau. La route qui reliait le rang Simple au rang Double ressemblait plutôt à une piste en période hivernale. Le blanc immaculé des champs à perte de vue me fascinait. Après le primaire, mes parents déménagèrent au village de Saint-Félicien. J'entrai chez les sœurs du Bon-Conseil, une institution très différente de la modeste école du rang. Pour moi, tout marchait sur des roulettes. J'avais le don de m'adapter à différentes situations. Je me classais presque toujours dans les trois premières. Une seule chose clochait: j'écrivais de la main gauche, et mère Saint-Ignace me sermonnait à tout bout de champ: «La droite, pas la gauche!» Hélas! malgré toute ma bonne volonté, je m'arrangeais mieux avec la gauche.

J'aurais pu faire des études plus complètes, mais différents facteurs contribuèrent à me démotiver vers 15 ou 16 ans. Je voulais entrer de plain-pied dans la vraie vie et me battre sur le terrain des grands. J'avais du courage à revendre, le goût de travailler, de me faire une place au soleil, d'être indépendante. Et je me répétais avec conviction, à la manière des gens du Saguenay – Lac-Saint-Jean: «Dans les p'tits pots, les meilleurs onguents.» Je me sentais de taille à remuer les montagnes. Je faisais confiance à la vie. Mais les événements ne se déroulèrent pas exactement comme je les imaginais ou comme dans les livres de la comtesse de Ségur, mon auteure préférée, que je lisais avec avidité, confondant le rêve avec la réalité.

Mon scénario familial comportait des événements qui me troublaient. Le peu d'argent que mon père avait touché pour son expropriation à Saint-Cyriac combiné avec la saisie de sa ferme au rang Simple influençaient son comportement. Atteint dans sa fierté de chef de famille, écorché par cette deuxième épreuve, il devint plus taciturne, recroquevillé sur lui-même. Nous sentions son désarroi, nous vivions sa souffrance sans pouvoir la partager. Sa fierté subissait l'impact de ses malheurs en série. Il avait aimé sa nouvelle terre comme un amant heureux aime sa maîtresse. Il la couvait du regard avec tendresse. Au printemps, à la fonte des neiges, il marchait dans les sillons en l'auscultant, tel un médecin. D'abord et avant tout, mon père n'avait qu'un seul rivage – sa terre – sur laquelle il se sentait heureux et comblé. En la perdant, il ne fut jamais plus le même. Une sorte de mélancolie le rongeait de l'intérieur. Nous étions tous tristes et désespérés de le voir se languir, même ma mère ne parvenait pas à traverser sa rude carapace.

Il faut dire aussi que les gens du Saguenay – Lac-Saint-Jean, pendant toutes les époques de leur turbulente histoire, ont éprouvé une vive fascination pour la dive bouteille. Ce n'est pas leur faire injure de rappeler que les rudes travailleurs de la ferme et surtout ceux de la forêt, ces bûcherons aux muscles d'acier, ne détestaient pas se rincer le gosier lors d'un congé bien mérité. Une fois sortis du bois, ils couraient à la buvette pour étancher leur soif.

Couper des arbres en bras de chemise, ébrancher et corder de la « pitoune » de quatre pieds pour le mesureur, avaler le midi à la hâte un gros sandwich au fromage et au jambon dans l'air vif et froid de la forêt, vivre dans un mauvais camp de bûcherons chauffé par une truie qui répandait une chaleur inégale, coucher dans un lit à deux ponts sans se laver des semaines durant, cela crevait son homme. Certains coupaient entre quatre et cinq cordes de bois chaque jour et quittaient le chantier vidés de toutes leurs réserves physiques.

Il était coutumier pour ces travailleurs spécialisés de se regrouper dans un débit de boissons, de lever le coude en bonne compagnie et d'oublier durant quelques heures qu'ils faisaient un travail de forçats.

Les voyageurs qui ont visité le Lac-Saint-Jean et le Saguenay ont souvent vu, avec étonnement, une ou plusieurs automobiles arrêtées en bordure de la route, une caisse de bière sur le capot et les passagers trinquant sans se soucier des lois interdisant de boire au volant ou d'ouvrir une bouteille dans un véhicule en marche. Les règlements s'appliquent à tous, sauf aux conducteurs de ces régions. Le policier qui intervient est souvent un membre du clan. Il sert un avertissement et passe l'éponge.

Dans les régions éloignées, coupées des grands centres et défavorisées par l'absence d'un réseau routier convenable – ce qui était le cas à l'époque –, l'alcool absorbé raisonnablement a toujours eu des effets libérateurs ; c'est une façon de s'évader du dur quotidien, de surseoir à un problème latent, de s'amuser et de se détendre socialement dans un de ses endroits favoris, le propriétaire étant souvent l'oncle Alban ou le cousin Mario.

Avant que mes frères Ulysse et Georges-Henri, des hommes très différents, mettent leurs actifs en commun pour acheter Le Château, un établissement au nom assez prétentieux, commente Dolly, ils avaient une maison d'une vingtaine de chambres à Saint-Félicien. Les clients disposaient d'une seule toilette au bout du couloir. Rien d'un palais, seulement un endroit quelconque assez propre où les visiteurs pouvaient passer la nuit. Les chambres étaient généralement pleines de fêtards qui buvaient tard dans la nuit. À 13 ans, je nettoyais les chambres et je changeais les draps des lits. J'en voyais de toutes les couleurs. La maison n'était pas fréquentée par des bourgeois délicats, mais par une catégorie de rudes gaillards fort portés sur la bière – les grosses bouteilles –, qu'ils ingurgitaient à un rythme étonnant, comme s'ils voulaient battre les records des meilleurs buveurs de la planète. Les sacres juteux, les interpellations d'une chambre à l'autre, les rires sonores formaient un fond de scène insolite, les loueurs ouvrant les portes des chambres pour déborder dans le corridor. On se serait cru dans un établissement de l'Ouest américain durant la ruée vers l'or. Un joyeux tintamarre. Je n'exagère pas en disant que la réalité dépassait la fiction.

Quand Dolly évoque ses souvenirs d'adolescence, son visage rieur s'anime. Sa mémoire est excellente et ses commentaires amusants. Elle fait le récit d'une époque comme si elle était encore au cœur des événements.

Ulysse se trouvait toujours là où il y avait de l'argent. Il le sentait comme un chien de chasse renifle le gibier. Par sa faconde, son entregent, il éclipsait Georges-Henri, moins instruit, plus renfermé et d'une nature assez farouche. Deux frères avec des caractères aux antipodes, deux approches différentes. On aurait pu croire que Georges-Henri était asocial, ce n'était pas le cas. Comme chez mon père, une timidité viscérale le confinait au rôle de second. Il ne se mettait jamais de l'avant. Sa modestie l'en empêchait, contrairement à Ulysse, assez vantard et cabotin, beau parleur, un homme de scène exubérant. Depuis sa naissance, il avait été le chouchou de ma mère, le p'tit gars à qui l'on pardonnait tout. Il était dans la logique des choses qu'il prenne la direction de l'hôtel et que Georges-Henri soit un partenaire effacé. Ulysse, dois-je le dire, ne se gênait pas pour abuser de la situation.

Établissement très fréquenté mais assez modeste, Le Château avait une histoire rocambolesque. Propriété du chef de police d'alors, ce dernier n'eut pas vraiment le temps de l'exploiter, le ministère de la Justice apposant les scellés sur la bâtisse et les dépendances, sans aucun doute sous la pression des hautes instances religieuses qui voyaient d'un mauvais œil un représentant de l'ordre gérer à son compte un débit de boissons. Comment un chef de police d'une municipalité pouvait-il décemment vendre de l'alcool à ses concitoyens et les mettre en prison, le cas échéant, sous des accusations de tapage nocturne ou de rixe? Cela dépassait la stricte bienséance. C'est ce qui s'appelle se mettre le doigt entre l'écorce et l'arbre. Une vente publique du Château fut annoncée. Ulysse sauta sur l'occasion et devint propriétaire, avec Georges-Henri, de ce petit hôtel très fréquenté. La famille logea dans une annexe de la bâtisse principale, et un immeuble plus modeste attenant au Château devint une maison de chambres. «Nous en avions deux, ce qui équivaut à dire que mes frères contrôlaient trois débits de boissons puisqu'on buvait tant dans les maisons de chambres qu'au Château. Il y avait aussi les chalets, très achalandés en été. Les affaires marchaient rondement.»

***

À la faveur de la Seconde Guerre mondiale, une soudaine prospérité toucha Saint-Félicien, comme la plupart des régions du Québec. La reprise de l'économie, la mainmise sur des secteurs entiers des ressources naturelles par des conglomérats étrangers, surtout américains – fer, titane, forêts, transport aérien, exploitation de gisements et affinage des métaux dans des secteurs stratégiques –, et la construction d'usines spécialisées dans toutes sortes de produits domestiques accélèrent la croissance et la demande de travailleurs. L'économiste André Raynauld dressa la liste des principaux secteurs visés par le capital étranger : tabac, produits chimiques, caoutchouc, fer et acier, instruments de machinerie, pétrole, houille, etc. Les étrangers dominaient à près de 60 % les créneaux primaire et tertiaire de l'économie québécoise. En d'autres mots, aucun grand entrepreneur canadien-français n'était dans le décor dans les années 1940.

Bâti au carrefour d'immenses plans d'eau, Saint-Félicien jouissait d'une situation géographique exceptionnelle et croissait au fur et à mesure de ses besoins. Le village prospéra dans les années de guerre, mais il restait socialement figé dans son modèle pastoral avec ses institutions et son caractère rural. Les rangées de sapins bordant les routes en période hivernale, la sauvagerie d'un splendide décor naturel, la vie au quotidien authentiquement chrétienne et les cérémonies religieuses qui marquaient les grands moments auxquels participait la population pouvaient laisser croire aux observateurs que rien ne changerait dans ce bled de cultivateurs dominé par le clergé. Mais le progrès est une machine sans âme qui balaye les modes de vie et les traditions. Peu à peu, avec l'expansion démographique et économique, il y eut un glissement perceptible des Félicinois vers d'autres valeurs moins austères.

***

Il ne faut pas oublier qu'à l'époque de la traite des fourrures, toujours active au Lac-Saint-Jean, les débits de boissons ne manquaient pas. Les rudes gaillards qui arrivaient à Saint-Félicien avec des canots chargés de fourrures ne buvaient pas de l'eau bénite pour se revigorer. Dans le premier quart du siècle dernier, l'Hôtel Chibougamau, devenu l'école de Saint-Félicien en 1926, hébergeait des aventuriers de tout poil qui venaient y festoyer après des mois de solitude dans des campements de fortune érigés le long des pistes.

Ma famille aménagea dans l'annexe assez confortable attenante au Château, dans la maison de chambres exploitée par mes deux frères, là où ma mère mourut après une longue agonie. Mon père s'en occupait, lui préparait ses petits-déjeuners, la servait au lit. Elle souffrait beaucoup, mais bien entourée, elle prolongea son existence. Cette mère poule n'en continuait pas moins de suivre les activités de ses enfants et priait très fort pour qu'ils trouvent ici-bas leur part de bonheur. «Vous êtes dans mes prières, disait-elle. Lorsque je disparaîtrai, je serai encore avec vous pour vous aider.» Dans son état, c'était héroïque de nous dire ça, car sa maladie l'obligeait à calculer le moindre de ses efforts. Elle voulait tout savoir. Non pas pour régenter, mais bien parce qu'elle était soucieuse de notre avenir. Un 9 septembre, entre sept et huit heures du matin, mon père trouva sa femme roulée en boule, partie pour un monde meilleur. Elle fut exposée à la maison; ce furent des jours de grande tristesse. J'avais 13 ans à l'époque. À part ce deuil, les mauvais souvenirs du rang Double, où vivaient mes sœurs Yvonne et Mariette que je visitais le plus souvent possible, s'estompèrent très vite.

***

Dolly avoue avoir à regret quitté l'école trop tôt, vers 16 ans. Mais les circonstances la poussèrent à s'inscrire à l'école de la vie, beaucoup plus ardue quand on est naine.

J'apprenais très bien. Curieuse, studieuse, désireuse de poursuivre mes études, mais en même temps pleine d'énergie, je voulais aider les miens et contribuer à leur bien-être avec mes modestes moyens. Mes frères m'offrirent de m'occuper de l'entretien des chambres et, plus tard, de servir les clients à la salle à manger. Certains voyaient bien le plateau mais se demandaient qui le portait... Lorsqu'ils me voyaient en entier, ils disaient, ahuris et amusés: «Mademoiselle, vous êtes bien la plus petite serveuse de tout le Lac-Saint-Jean.» Pendant que je déposais le plateau sur la table en me hissant sur la pointe des pieds, d'autres émettaient sans méchanceté des opinions:

«Tu es bien trop petite pour faire ce métier-là!

— Bien sûr que non, répliquais-je. Si j'avais eu quelques pouces de plus, on n'aurait pas retenu mes services.»

Les clients riaient de mes mimiques, me taquinaient, curieux de me voir si alerte, débrouillarde et pleine d'attentions pour eux. À ce moment-là, je ne portais pas le nom de Dolly – qui me fut donné plus tard par un agent d'artistes – mais celui de Normande. Sans le savoir, j'étais déjà une attraction au Château, mais aussi pour les Félicinois plus habitués à rencontrer des armoires à glace que des naines. Très appliquée à mon travail, je savais que je pouvais mener une vie normale dans le monde des grands, nullement adapté aux petites personnes.

Parlant de son père, très éprouvé par la disparition d'Éva, Dolly tient à préciser:

Mes frères étaient propriétaires de débits de boissons, mais je n'ai jamais vu mon père en état d'ivresse. Durant les fêtes, lors des grands rassemblements de famille – je me souviens d'une réunion au rang Simple où il y avait au moins cinquante personnes –, mon père buvait sobrement. Simplement pour pactiser avec les membres de la famille et les amis. Sa sobriété contrastait avec les joyeuses libations de mon frère Ulysse, très porté sur la bouteille. Il levait le coude sans se faire prier et son métier d'hôtelier l'obligeait à trinquer avec les clients; à la longue, il contracta une certaine dépendance à l'alcool. Pour ma part, ayant vécu pendant des années dans les boîtes de nuit, les bars et les bistrots – au Canada, aux États-Unis et ailleurs dans le monde –, je n'ai jamais éprouvé d'attirance pour l'alcool. Si j'avais bu, étant plus vulnérable par ma nature que quiconque, je ne serais pas là pour raconter mon histoire. En réalité, si nous balayons nos illusions, ce n'est pas nous qui traversons la vie, mais plutôt le contraire. Je peux dire avec mon expérience que c'est la vie qui nous traverse. Et durement, le plus souvent.

Dans la nomenclature de ses joies et plaisirs à Saint-Félicien, Dolly souligne que sa mère adorait la pêche à la truite dans les gros ruisseaux profonds qui serpentaient à travers les champs.

L'eau était très froide, le poisson abondant. Nous jetions nos lignes dans un remous et la capture était immédiate. Ces ruisseaux étaient pour moi comme des petites rivières qui faisaient un détour sur nos terres avant de se jeter dans les lacs. Un détour miraculeux, car nos prises étaient époustouflantes. Il n'y avait pas de quota, comme aujourd'hui. Nous étions libres de capturer dix truites ou cent, le nombre n'avait pas d'importance. Mes frères Ulysse et Georges-Henri avaient converti un vieux camp de bois rond utilisé par les bûcherons en camp de pêche, qui se trouvait juste en face d'un beau lac peu fréquenté. Pour nous rendre dans ce paradis terrestre, nous montions dans la jeep de Georges-Henri pour emprunter la route qui menait vers Notre-Dame-de-la-Doré, et de là une piste raboteuse qui nous menait cahin-caha au camp. Il fallait au moins deux heures pour s'y rendre, mais ça valait le coup, car la truite était au rendez-vous. Un endroit de silence absolu au cœur d'un territoire isolé qui avait été sous la juridiction de la Consol Paper. Mes frères apprêtaient le poisson en le roulant dans la farine et le servaient cuit à point. Un régal ! Avant le repas, nous prenions un moment pour remercier Dieu de ses bienfaits, la nourriture étant au corps ce que la prière est à l'âme.

Cette période faste évoquée par Dolly coïncide avec la mentalité gaspilleuse et souvent irresponsable de nos prédécesseurs, lesquels aimaient pontifier lorsqu'ils revenaient de la pêche avec cinq ou six cents truites emmaillotées dans la tourbe mousseuse, pour les garder au frais. Certains tendaient des filets en aval des ruisseaux ; d'autres, peu raisonnables, plus braconniers que sportifs, pêchaient à la dynamite et se vantaient de « vider les lacs ». Avant que des règlements statuent sur le nombre de prises que chaque pêcheur pouvait capturer, les truites se vendaient à bon prix dans les hôtels de Charlevoix, du Saguenay et du Lac-Saint-Jean, comme la viande de bois, steak d'orignal ou de chevreuil, que l'on retrouvait sur les bonnes tables.

L'île d'Anticosti a connu une histoire tumultueuse reliée à l'explorateur Louis Jolliet (1645-1700), dit le pilote. Personne ne connaissait mieux que lui le fleuve Saint-Laurent. Ses missions au Mississippi à partir de la bourgade de Saint-Ignace et ses voyages de reconnaissance et d'exploration à la baie d'Hudson et au Labrador lui valurent

– pour services rendus – l'île d'Anticosti, cadeau du roi de France, où il vécut avec sa famille jusqu'à sa disparition en mer le 4 mai 1700 alors qu'il se dirigeait vers l'archipel de Mingan, qui s'étendait de l'île aux Perroquets jusqu'aux îles Sainte-Geneviève. Jolliet connaissait bien le chenal large de trois kilomètres et les petites baies ceinturant les plages sablonneuses. Après de longs litiges qui virent se succéder plusieurs propriétaires après la mort de la veuve de Jolliet – Claire-Françoise Byssot, fille d'un riche marchand –, Gaston Meunier, roi du chocolat en France, en fit l'acquisition, peupla Anticosti d'animaux divers et construisit le château Meunier, vaste résidence face à la mer. Son frère revendit ce vaste domaine à la compagnie International Paper qui détint dès lors des droits de coupe sur l'île, devenue sa propriété.

C'est dans la partie désertée de l'île que les braconniers de la côte gaspésienne tuaient les chevreuils par centaines et les débitaient pour écouler à vil prix, dans un réseau organisé, la viande des animaux. International Paper revendit Anticosti au gouvernement du Québec, lequel réorienta la vocation de l'ancien fief de Louis Jolliet pour en faire un paradis de chasse et de pêche.

***

La mort attendue d'Éva perturba la routine de la famille Gagnon. La disparition de celle que l'on pouvait qualifier de la femme forte de l'Évangile fut vivement ressentie par Dolly.

Lorsqu'on vit dans le quotidien avec un être cher, on ne l'apprécie pas toujours à sa juste valeur. L'absence nous fait réfléchir. Dans un sens, ma mère était une héroïne, comme il y en avait beaucoup au Québec à cette époque. Mettre au monde dix-neuf enfants dans des conditions difficiles, sans l'appui d'un véritable soutien médical, équivalait à exiger une somme de sacrifices que les femmes n'étaient pas toujours en mesure de donner. Beaucoup y laissèrent leur vie, cependant que d'autres, entre des accouchements à répétition, peinaient du soir au matin pour aider le ménage à survivre. Outre ses défauts, ses colères subites, ses abattements passagers, ma mère était une sainte femme, véritable abeille qui veillait au grain et payait fort cher le bien-être que nous avions. À sa mort, elle fut enterrée au cimetière situé près de l'église, plus tard déménagé à l'entrée de la municipalité. Lorsque je retourne à Saint-Félicien, j'y vais pour faire une prière.

***

Le Château et la maison de chambres d'Ulysse et de Georges se trouvaient au centre des grandes activités religieuses et commerciales du village, à proximité de la gare et de l'église, immense bâtiment flanqué d'un presbytère cossu aux plates-bandes ornées de fleurs et de plantes diverses. Le curé Bluteau aimait les fleurs, connaissait leur histoire et surveillait leur éclosion avec un soin jaloux, car il se plaisait à dire – ce qui était vrai – qu'il avait le plus beau parterre de la région. Roses sauvages, tulipes, lis, digitales pourpres, marguerites, petites et grandes plantes, philodendrons grimpants, echeverias en forme de coussin, peperomias argentés ou à feuilles de magnolia étaient pour lui des êtres vivants qui occupaient tous ses loisirs. Ses ouailles le voyaient souvent dans un état d'extase, attendri, penché sur une plante ornementale.

Il leur parlait. Beaucoup de Félicinois croyaient qu'il avait un doigté spécial pour que fleurs et plantes de son parterre soient aussi resplendissantes. Ses livres de chevet préférés : les ouvrages du naturaliste Conrad Kirouac, né à Kingsey Falls dans le comté de Drummond, un savant botaniste, un scientifique de haute volée mieux connu sous le nom de frère Marie-Victorin[3] (1885-1944), mort tragiquement dans un accident d'automobile en compagnie du journaliste Louis Francoeur, le père de Jacques, un éditeur de publications décédé en 2005 .

Grand pondeur de prônes et observateur attentif de ses plantes, le curé Bluteau tenait une sorte de journal du comportement de ses

3. Ce botaniste voyageait un peu partout au Québec pour étudier la vie des plantes et celle des gens. Il publia des ouvrages savants sur la flore laurentienne, mais aussi de nombreux récits et légendes, Marie-Victorin étant passé maître dans l'art d'analyser l'âme profonde du Québec et celle des paysans. Traduites en plusieurs langues, ses œuvres scientifiques connaissent une renommée mondiale.

fleurs. À propos du philodendron argenté (Burgundy), il notait : « N'est pas d'une santé à toute épreuve mais résiste assez aux infections si elle profite d'une lumière vive et indirecte. Ses feuilles ne supportent pas une exposition trop longue sous le soleil violent. Placée sous une lampe allumée de huit à dix heures par jour, à une température idéale, elle est éclatante. Taille : varie d'un philodendron à l'autre. Rempotage : au printemps et tous les ans. »

L'époque du curé Bluteau est très naturaliste et les écrivains sont collés aux traditions et aux mœurs. En témoignent quelques titres d'ouvrages qui font la joie des lecteurs : *Chez nos ancêtres* (1920), de l'abbé Lionel Groulx ; *Les mocassins* (1920), de l'abbé Arthur Guindon ; *En guettant les ours* (1930), du médecin Edmond Grignon ; *Le bouquet de Mélusine* (1926), scènes folkloriques de la vie canadienne, de Louvigny de Montigny ; *Dans le bois* (1940), de Sylvain M. Mélançon. Homélies, rapailles, légendes franciscaines sont dans l'enfance les eaux fortes d'une littérature qui se cherche, axée sur le patrimoine et le récit historique. Comme certains critiques le disent, les littérateurs québécois ne sont pas encore sortis du bois. Essais de toutes sortes, pastels, études à saveur morale forment dans un bel unisson une littérature du terroir enfermée dans un carcan psychologique.

***

Aujourd'hui comme hier, Dolly ne craint pas d'afficher sa foi toujours très vive.

Adolescente, j'allais à la messe tous les jours, par temps gris ou pluie, tempête de neige ou déluge. Rien n'aurait pu m'empêcher de faire mes dévotions. Il y avait à Saint-Félicien des organisations poursuivant deux buts : la prière et l'action sociale. Pour ma part, j'appartenais corps et âme aux Enfants de Marie[4], mouvement d'élite qui mobilisait les jeunes filles sages et pieuses dont j'étais. Nos tâches étaient diverses et nos responsabilités à la mesure de notre foi. C'est nous qui faisions les processions, dont celle de la Fête-Dieu (le mois consacré à la Vierge Marie)

4. Association qui vit le jour vers 1880 et s'éteignit au début des années 1960.

qui prenait à Saint-Félicien une importance démesurée. Tout le monde était dans la rue.

Dolly fait état des tâches des Enfants de Marie, qui se présentaient à l'autel pour communier, la tête recouverte d'un voile blanc et portant les insignes de leur statut particulier. La nomenclature de leurs devoirs regroupait la décoration de l'autel, les quêtes, la récitation quotidienne du chapelet, les chants, les cantiques stimulant la dévotion à Marie et une kyrielle de grands spéciaux, comme noter les présences à la messe du premier vendredi du mois. L'encadrement des jeunes est presque militaire, de type spartiate, quand les enfants, chez les Grecs, appartenaient légalement à l'État. Aux devoirs s'attachent des interdits. Les Enfants de Marie peuvent patiner le jour, pas le soir ; à la limite de l'absurde, elles doivent refuser que les garçons, prédateurs en puissance, les aident à enlever leurs patins ; surtout, sacrilège, ne jamais patiner le dimanche, durant les offices religieux. Ne pas se conformer au code des Enfants de Marie peut entraîner une expulsion et une réprimande du haut de la chaire. Quel déshonneur pour une famille de voir sa fille montrée du doigt, honnie et clouée au pilori d'une opinion publique sectaire ! C'est une crucifixion sociale. Chassée de son organisation, la déviante aura tout le temps de méditer, de se refaire une vertu pour redevenir, le cas échéant, une servante de Marie.

Nous marchions le corps raide et les oreilles molles, de préciser Dolly, dans son langage imagé. Personne de ma connaissance n'osait sortir du rang, car la punition sociale pouvait être un cauchemar à Saint-Félicien, où pullulaient les mouvements centrés sur la prière et l'action sociale. La Jeunesse agricole catholique, fondée au début des années 1940, était le fleuron d'une pyramide d'associations telles que les Enfants de chœur, la société de tempérance, la confrérie du Saint-Sacrement, la Garde paroissiale et les Ligues du Sacré-Cœur qui distribuaient des annales religieuses et entreprirent à la fin des années 1950 une guerre à mort contre les journaux jaunes de la métropole.

La mobilisation est générale ; tout était pensé, pesé, mesuré pour que l'infrastructure religieuse – par le biais des associations et des mouvements qui formaient une immense toile d'araignée – soit productive et que les femmes de tous les âges constituent le noyau central ou les piliers de la forteresse catholique. Il faut dire qu'elles démontrèrent un beau zèle, soutenues par un indéfectible attachement à l'Église. Dolly se rappelle très bien cette époque. Elle en a toute sa vie conservé les bons côtés, se dégageant peu à peu du missel de directives oppressives.

***

Dès mon adolescence, le spectacle me fascinait. Mon frère Ulysse avait obtenu la concession du cinéma de Saint-Félicien, où je pouvais voir les grands films de l'époque à partir de la chambre de projection. Tous mes acteurs et actrices préférés défilaient sur le grand écran: Clark Gable, Tyrone Power, Rita Hayworth, Humphrey Bogart et bien d'autres. Je voyais tous les films sans exception. En 1948, j'avais 15 ans et le cinéma était mon attraction préférée. Entre deux projections, il y avait presque toujours un spectacle offert par une troupe spécialisée dans le vaudeville ou des numéros en solo présentés par des ventriloques, des acrobates, des contorsionnistes, des chanteurs ou des danseurs. Je me souviendrai toujours de la représentation du fameux cowboy Roy Rogers à Saint-Félicien, sur la grande place de l'église – la scène du cinéma était inappropriée pour y faire danser un cheval et trop exiguë pour que le roi des pistoleros fasse ondoyer son lasso pour offrir aux Félicinois le ballet du lasso. Impressionnant! Tout un spectacle! La rue était noire de monde. Je pense que Rogers faisait la promotion de son dernier film dans une tournée québécoise où il remporta un vif succès, car il était simple, accessible et charmant. C'est aussi au cinéma que je fis la rencontre de mon amoureux, Paul Hébert, devenu un très bon équilibriste.

L'omniprésence des Américains dans diverses régions du Québec, dont le Saguenay et le Lac-Saint-Jean, se faisait sentir à Saint-Félicien. Ils arrivaient par avion à Bagotville, louaient cinq ou six pièces au Château ou dans la maison de chambres et passaient plusieurs jours – en mission commandée – pour établir les bases de nouvelles entreprises ou améliorer par de nouvelles techniques celles qui étaient déjà en place. Ils ne passaient pas inaperçus ; un guide les suivait partout et traduisait leurs demandes et instructions de l'anglais au français.

Ils étaient gentils, peu tapageurs, discrets et ne se mêlaient pas à la population. Comme j'étais de service dans les établissements de mes frères depuis l'âge de 12 ans, je leur apportais ce qu'ils voulaient – tantôt un verre, une bière ou une boisson gazeuse. Ils me donnaient généralement un pourboire de 2 $ et se montraient à mon endroit pleins d'urbanité. Ma petite taille en surprenait plusieurs, mais ils me toisaient avec une évidente sympathie.

***

Tom Pouce, exhibé par le génial P. T. Barnum, fut sans contredit le plus célèbre personnage de toute l'histoire du nanisme de la planète. Connu et adulé aussi bien en Europe qu'aux États-Unis, ce minuscule amuseur – une curiosité pour les grands de ce monde – fut invité à Buckingham. La reine Victoria lui présenta son fils de trois ans, le prince de Galles. Examinant le futur Édouard VII, le général Tom Pouce fit une remarque inusitée : « Il est plus grand que moi, mais je me sens aussi grand que n'importe qui ! » Barnum aurait aimé que Tom Pouce poursuive sa carrière ; il lui offrit une fortune, mais ce dernier eut le coup de foudre pour Lavinia, sa bien-aimée, et mit fin à ses tournées. Protégé par Barnum depuis l'âge de cinq ans, soutien de famille à six ans, Charles Stratton, de son vrai nom – fils de charpentier et d'une femme de ménage de Bridgeport au Connecticut –, mesurait à cinq mois 63 centimètres et pesait 6,80 kg.

***

Les années 1943 à 1945 furent bénéfiques aux Félicinois. L'argent roulait. Les travailleurs de la forêt affluaient au Château, de même que les cheminots qui aimaient savourer une bonne Black Horse avant de réintégrer leur domicile. Chambord étant le terminal du complexe ferroviaire, des voyageurs de partout descendaient en grand nombre à la gare Saint-Félicien qui bourdonnait, certains jours, de rires sonores, d'interpellations et d'activités fiévreuses, signes du boom économique d'une région favorisée par d'immenses ressources naturelles.

Les gens se débrouillaient, montraient beaucoup d'initiative, comme leurs prédécesseurs, ces coureurs des bois infatigables et soumis aux exercices les plus durs. La région du Lac-Saint-Jean est reconnue depuis belle lurette pour ses bleuets. De là l'expression populaire « un bleuet du Lac-Saint-Jean », lorsqu'on mentionne qu'un tel ou que Mme Chose sont nés à Chambord, à Roberval, à Saint-Félicien ou dans le pays du granit noir. Les bleuets (myrtilles) y sont gros, d'un bleu sombre, pulpeux et juteux.

D'où viennent ces fruits charnus de la forêt tant appréciés par Jacques Cartier lors de son deuxième voyage en Kanata (1535), au cours duquel il fut reçu à Stadaconé (Québec) avec toutes les civilités d'usage par le chef indien Donnacona ? Bien que ce fruit délicieux soit originaire d'Eurasie, tout natif du Lac-Saint-Jean vous dira, froissé : « Mon ami, vous êtes dans les patates. Le bleuet est d'abord et avant tout un fruit qui pousse dans notre nature généreuse, et la preuve est faite depuis toujours. » Ne vous obstinez pas, ne cherchez pas d'arguments pour convaincre votre interlocuteur, il vous regardera d'un air de commisération.

Sur ce sujet, Dolly n'est pas avare d'exemples concrets, d'anecdotes savoureuses.

Je voyais beaucoup ma sœur Mariette, dont le mari, Uldéric Savard, avait une terre à bleuets dans le rang Simple. Ils étaient gros et délicieux à croquer. Nous en faisions la cueillette à l'aide d'un cribleur, un outil avec des dents de métal de 8 à 9 pouces de long. Nous passions des journées entières à dépouiller les arbustes de leurs fruits, lesquels pullulaient partout à l'état sauvage dans les boisés. Nous en avions des chaudières pleines et nous en mangions à satiété.

Plusieurs petites entreprises artisanales fabriquaient des boîtes à bleuets réglementaires pour faciliter le transport par camions. Durant la période de ramassage, des familles entières allaient s'installer sur la Lièvre, près de Roberval, ou dans d'autres coins de prédilection pour faire la cueillette. Le chef de famille apportait dans un camion tout ce qui était nécessaire à la vie en forêt, un équipement à surprendre les profanes. Une fois sur place, sur un terrain choisi, on bâtissait un plancher de bois sur lequel on dressait une immense tente. Le cheval et la voiture, emmenés dans le camion avec les enfants, servaient au transport des boîtes à bleuets, très lourdes, car les cueilleurs sautaient d'une talle à l'autre et s'éloignaient de leur base. Les seaux remplis étaient déversés dans les boîtes vides stockées dans la voiture tirée par le cheval, lequel broutait le long de la piste poussiéreuse en attendant le signal du retour au camp. Pourquoi un cheval attelé à une charrette allait-il aux bleuets? se demandaient les rieurs. Pour le cueilleur expérimenté, une économie de temps et d'efforts durant la courte période de la cueillette permettait de revenir coucher au village, de vendre sa production, d'être payé sur-le-champ après inspection des bleuets – pour que l'étiquette du gouvernement soit apposée sur les boîtes – et d'engranger de beaux gains pour une journée de travail. En 1944, négociants et grossistes de bleuets déboursaient 16 cents la livre – soit 3,60 $ pour une boîte de 22 livres –, de sorte que des parents aidés par une marmaille nombreuse pouvaient toucher entre 75 $ et 100 $ par jour. Hélas! cette manne ne durait pas.

Toutes ces années, fait remarquer Dolly, seront marquées par mes joies puériles. Je vivais dans un cocon, au fil d'événements quotidiens qui séduisaient ma jeune imagination. Je pensais que Saint-Félicien était un paradis sur terre rehaussé par des paysages que l'on ne voyait nulle part ailleurs. Même le couvent que je fréquentais avant d'abandonner mes études se trouvait à côté d'un beau parc où nous avions nos récréations. Ailleurs, les élèves étaient enfermés dans une cour ceinturée d'une clôture. À Saint-Félicien, tout était différent, avec de vastes espaces sans obstacle pour les yeux. De plus, ma famille m'aimait, me dorlotait, me protégeait. J'étais née naine, mais je caressais de grands projets, sans trop savoir ce qu'ils seraient ni comment ils changeraient ma vie. Je laissais les jours couler et me réserver des surprises. Envers et contre tous, je restais confiante, enthousiaste, follement optimiste. Même une toute petite personne conserve le droit de rêver. En me promenant dans le merveilleux parc du Sacré-Cœur, juste en face de l'église où le curé Bluteau[5] prenait ses marches en compagnie de son chien Picoté, je remerciais Dieu du fond du cœur pour tous les bienfaits qu'il accordait à ma famille, car nous étions, frères et sœurs, indéfectiblement liés comme les doigts de la main.

5. Le 5 juillet 1953, le curé Bluteau annonça à ses paroissiens qu'il abandonnait sa charge. Il ne se sentait plus l'énergie pour continuer son apostolat. Le 2 décembre 1955, il entra en résidence et mourut à 82 ans, à l'Hôtel-Dieu Saint-Michel de Roberval. Marqué par son époque d'une grande religiosité, il avait ses bons côtés, et ses générosités faisaient oublier son comportement autoritaire. Avec ses propres deniers, il acheta l'Hôtel Chibougamau pour la convertir en une école, qu'il confia aux Frères maristes. Il laissa derrière lui plusieurs œuvres, dispersées dans le temps par les vents de l'oubli.

Chapitre 5

Un amoureux se manifeste

La vie continuait à Saint-Félicien, avec ses hauts et ses bas, la routine au quotidien, les maladies, les enterrements, les joies trop courtes, les accidents et tous ces imprévisibles qui forment l'immense toile d'araignée dans laquelle les humains se débattent tout au long de leur existence.

Il n'y a rien de vraiment secret dans les arcades et les jeux individuels de la vie, sauf qu'il faut un jour accepter l'inévitable.

À l'époque où Dolly vit le jour, l'espérance de vie d'un homme au Québec pouvait atteindre 56 ou 57 ans; celle d'une femme, quelques années de plus. Bien sûr, beaucoup d'individus vieillissants échappaient aux statistiques pour la bonne raison que les démographes font leurs calculs en fonction de la multitude et non de cas spécifiques, ceux qui ont une longévité étonnante.

Rappelant le souvenir de l'un de ses amis très chers, le comédien Gérard Vermette, dont la bonne humeur et le rire contagieux se déversaient sur scène ou dans l'intimité tel un torrent impétueux, Dolly signale à quel point le rire est important et fait disparaître provisoirement les stress énormes des gens de scène.

En ce qui me concerne, je riais beaucoup. Le rire me décompresse. Rire, être joyeuse, m'amuser est pour moi une bonne recette de santé et d'équilibre. Malgré ma petite taille – un handicap très sérieux dans le monde des grands –, je me suis toujours efforcée de ne pas trop dramatiser les événements, de trouver mon harmonie dans les petits riens : une philosophie qui en vaut bien d'autres. À 12 ans, je travaillais déjà et je mettais du cœur à l'ouvrage.

On peut s'étonner qu'à cette époque des enfants de 12 ans aient été sur le marché du travail, mais dans les grandes familles, la fainéantise n'était guère tolérée. Tous et toutes héritaient de corvées. À la ferme, les garçons effectuaient maints travaux rebutants, alors que les filles se partageaient diverses besognes domestiques et souvent trayaient les vaches ou allaient au champ pour faire les foins. Dans les chantiers, des garçons de 14 ans étaient à l'ouvrage dès cinq heures du matin et peinaient jusqu'au soir pour la pitance, asservis à des tâches ingrates. L'ouvrage ne manquait pas dans un camp de bûcherons de deux cents hommes plus ou moins tolérants, plus ou moins rompus aux civilités.

À l'hôtel Le Château ou à la maison de chambres y attenant, Dolly pouvait vaquer à ses occupations de bonne à tout faire sans être inquiétée par une clientèle disparate et singulièrement portée sur la bouteille.

Lorsque je mettais de l'ordre dans les chambres des clients, il n'y avait d'habitude plus personne dans les couloirs. C'était désert. Les clients se levaient tôt pour aller travailler. Rien ne m'obligeait à faire ce travail, mais j'aurais été mentalement mal à l'aise et je me serais sentie coupable de ne rien faire, alors que tout le monde autour de moi trimait dur. Je voulais aussi faire la preuve que je pouvais me rendre utile. Les petites personnes ont généralement du mal à se mettre dans la tête qu'elles peuvent être actives et efficaces. Des handicapés plus mal pris que nous, cloués à des fauteuils roulants, privés de l'usage de presque tous leurs membres, ont réussi des miracles. Sans avoir un complexe d'infériorité, je réalisais que physiquement j'étais différente, donc forcée par la nature et les circonstances à m'adapter aux exigences courantes de la vie. Je ne voulais pas me mettre sur un pied d'égalité avec qui que ce soit, seulement me réaliser avec mes petits moyens, afficher mes couleurs sans me traumatiser avec ma petite taille et geindre *à longueur de jour sur mon infortune. Heureusement, toute ma philosophie à l'époque reposait sur la possession d'un joyeux caractère que rien ne pouvait altérer, car je me donnais beaucoup de peine pour m'intégrer à mon environnement, et non pas le fuir.*

Ce que veut préciser Dolly, c'est qu'elle se garda de développer une psychose émotive à la longue destructive. Au cours de son cheminement d'adolescente, elle trouva elle-même son credo au quotidien, résumé ainsi : être utile et disponible aux autres, c'est être utile à soi-même.

Je suis petite, mais grande en détermination et en volonté. Faire tout au meilleur de ma connaissance, développer une bonne aptitude, orienter mon esprit vers des choses positives, projeter l'image d'une personne enthousiaste et harmonieuse furent des atouts précieux qui formèrent mon caractère. Le reste fut une affaire d'entraînement, de complicité avec mon milieu et de devoir constant pour me rendre utile. Il y a dans la vie une obligation de se rendre disponible pour autrui – qu'importent ses facultés physiques – pour acquérir l'estime de son entourage et surtout de soi-même. Bien sûr, je savais que je ne pourrais pas transformer le monde, mais je me sentais plus harmonieuse en semant la joie autour de moi par ma bonne humeur, de sorte que l'on recherchait ma présence au lieu de me fuir.

Cependant, il y eut un épisode difficile, inattendu, cauchemardesque dont se souvient Dolly, une agression qui lui ouvrit les yeux sur l'imprévisible nature humaine.

Jusqu'à mes 17 ans, personne ne m'avait manqué de respect. Je sortais beaucoup avec mes neveux, mes nièces et leurs amis. Les fins de semaine, nous fréquentions les cabarets, les bars et les hôtels de la région pour voir des spectacles dont nous étions friands. J'ai toujours été proche de ma famille, et mon plus cher désir était de me trouver en compagnie de mes frères et sœurs. Ils formaient un clan très spécial et très sécuritaire pour moi, car je sentais leur chaude affection en toute circonstance. L'esprit de famille, nous l'avions à un haut degré et nous le cultivions comme la chose la plus importante au monde. Nous n'avions pas appris ça à l'école, ni dans la rue, mais les gens du Lac-Saint-Jean et du Saguenay partageaient par instinct, à cette époque, une vie familiale et communautaire intense, probablement parce que nous vivions dans des zones isolées du Québec, loin des grands centres et plus ou moins confinés à nos espaces en période hivernale, faute d'un système routier adéquat. Les soirées en famille et les chansons folkloriques de l'abbé Gadbois, ça nous connaissait. Avec la fonte des neiges, l'été nous fournissait un répit bien mérité. L'hiver était long et des bancs de neige énormes s'accumulaient devant les maisons, de sorte que les jours de tempête, la rue Saint-Jean-Baptiste ressemblait à un tunnel blanc aux proportions démesurées.

Spontanée et très cordiale avec la clientèle des maisons de chambres, Dolly s'était liée avec l'un des cinq frères bûcherons qui logeaient sous le même toit, dans une annexe du Château.

Comme j'entretenais les chambres et que je servais aux tables, il m'arrivait de converser avec celui des frères qui me semblait le plus sympathique. Nous tenions des propos anodins. Natif de Berthier-sur-Mer[6], il me parlait souvent avec nostalgie de son coin natal, de sa vie de bûcheron vivant loin de son port d'attache, de ses frères qui, comme lui, gagnaient leur vie un peu partout là où il y avait du bois à couper, des contrariétés quotidiennes et de l'espoir, un jour, de couper des arbres sur sa propre ferme.

Lorsque je causais amicalement avec Léopold, son frère Viateur, robuste et grand, était souvent dans le décor. Je n'aimais pas vraiment son attitude et ses remarques sarcastiques sur les Félicinois, les femmes et les commodités de notre maison de chambres. Il me semblait différent des autres frères, plein d'amertume et sournois. Son comportement me déplaisait et je faisais des efforts pour l'éviter. Mon instinct me disait de m'en méfier, mais à 17 ans, on a l'impression que tout le monde est bon et digne de confiance. Un jour, au deuxième étage de l'immeuble, alors que je faisais ma besogne habituelle, Viateur me

6. Seigneurie du Bas-Saint-Laurent concédée le 29 octobre 1672 à Alexandre Bernier, capitaine au régiment de Carignan, qui joua un rôle dominant en Nouvelle-France.

surprit dans une chambre dont la porte était ouverte. Il se rua sur moi, me renversa sur le lit et arracha ma petite culotte. Je n'étais pas de taille à lutter contre un pareil gaillard, mais je me débattis de toutes mes forces pour échapper à son étreinte. Il allait réussir son viol, lorsque des bruits de pas se firent entendre dans l'escalier. Viateur s'enfuit, me laissant désemparée et pleurant à chaudes larmes. Pour la première fois de ma vie, je découvrais le côté ignoble de certains individus, et quelque chose se brisa en moi. Ma naïveté en prit un coup. Psychologiquement, je mis plusieurs mois à me rétablir. Je regardais le monde d'une autre manière. Toutefois, je me remis de cette agression, de cette tentative de viol qui ne fut pas complétée, grâce sans doute à la providentielle arrivée d'un client qui revenait sur les lieux à brûle-pourpoint. Je fus sauvée par la cloche, de justesse.

***

L'après-guerre était d'une certaine façon profitable au Québec. Les affaires des frères Gagnon allaient bon train. On voyait de plus en plus de véhicules sur les mauvaises routes du Lac-Saint-Jean et du Saguenay, mais l'ordre moral à saveur religieuse semblait tatoué dans l'esprit de clocher d'une population qui réfléchissait peu à son avenir, sauf pour quelques visionnaires qualifiés de fauteurs de troubles et d'hurluberlus.

Les troupes du libéral Adélard Godbout, premier ministre du Québec durant le deuxième conflit mondial, avaient été balayées par celles de Maurice Le Noblet Duplessis, chef autoritaire et incontesté de l'Union nationale, dont le long règne allait durer vingt ans et peser sur l'avenir d'un Québec à la recherche de lui-même.

Quel était à ce moment-là le climat social et politique chez les Canadiens français ?

Victor Barbeau, grand serviteur de la cause canadienne-française, publiait maints articles et ouvrages, dont un livre, *Mesure de notre taille*, objet d'acerbes critiques, dans lequel il pourfend les entreprises qui commandent toute la vie économique de ses compatriotes. « Féodalité sans âme, sans cœur», écrit-il, d'une plume rageuse, accusant le capital étranger de rançonner les ressources naturelles du Québec.

> Ces entreprises nous tiennent en servage et, par là, influent sur les populations en campagne. Elles règlent nos besoins, nous imposent ses produits, décident de notre alimentation, ordonnent nos plaisirs, transforment nos villes, souillent nos paysages, détournent nos cours d'eau et vicient notre langage.

Il y a une part de vérité dans cette admonestation, mais Victor Barbeau reste muet sur l'essentiel. La fierté des Canadiens français de l'après-guerre baigne dans un amalgame mystico-religieux qui les place dans une famille à part. À quoi bon gagner l'univers si l'on en vient à perdre son âme, répète-t-on à satiété dans les milieux bien-pensants. La culture des Canadiens français est donc orientée vers les professions libérales et la conquête du ciel, alors que celle des Anglo-Saxons, moins noble et plus pragmatique, privilégie la possession de biens terrestres.

Depuis que la famille s'était transplantée à Saint-Félicien, relate Dolly, notre vie matérielle avait singulièrement évolué. Les activités de mes frères Ulysse et Georges-Henri contribuaient à nous fournir une certaine aisance, nous amenaient à considérer les choses matérielles comme des valeurs qui nous aidaient à mieux vivre, et permettaient à mes frères et sœurs de donner à leurs enfants ce que nos parents n'avaient pu nous donner. C'était appréciable d'avoir le superflu, d'autant plus que les commerces – l'hôtel et les maisons de chambres – restaient des endroits très fréquentés et très rentables. Notre train de vie s'en ressentait. Nous devions une fière chandelle à la «grosse Mol», la bière adoptée par les gens du Lac-Saint-Jean et qui tenait la première place dans les registres de nos établissements.

Jusque-là célibataire, Ulysse nous annonça un jour qu'il allait se marier avec une cousine, Berthe Tremblay, veuve d'un mari emporté dans la trentaine par la tuberculose[7]. Au siècle dernier, il n'était pas rare

---

7. La maladie de poitrine, comme le rappelle Dolly, ou «rhume négligé», disait-on, était un fléau véhiculé par le bacille de Kock.

d'entendre dire que tel ou tel individu atteint de cette maladie partait pour le sanatorium. La fiancée d'Ulysse était mère de trois enfants, et après son mariage, mon frère décida d'habiter avec eux dans l'annexe de l'hôtel où je logeais – avec d'autres membres de notre famille –, ce qui contribua à restreindre l'espace dont nous disposions. Nous étions à l'étroit. Je déménageai chez Georges-Henri – célibataire de son état –, lequel disposait d'un logis dans la deuxième maison de chambres attenante à l'hôtel. Cette étape de mon existence fut plus bousculée, car elle changeait mon mode de vie. Georges-Henri – tout comme mon père, qui habitait sous son toit – économisait les mots, ce qui éliminait les longues discussions ou les confidences d'une jouvencelle spontanée et instinctive. Bref, je m'accommodai de la situation, car je me sentais en sécurité avec eux.

Dolly décrit son frère Ulysse comme un bohême qui se targuait d'être un homme d'affaires avisé, alors qu'il était un roger-bontemps. Les affaires allaient bien, il dépensait avec largesse, en omettant de régler les taxes municipales et scolaires ainsi que les impôts au gouvernement. Cet escamotage eut comme résultat que les administrations concernées s'entendirent pour saisir l'hôtel et les dépendances pour taxes impayées, malgré de pressantes requêtes. Ulysse ne connaissait rien à la tenue de livres. Tout était inscrit dans sa tête, et la paperasse ainsi que les réclamations de toutes sortes s'empilaient dans un tiroir. Un fouillis! Il ne pressentait même pas qu'un jour viendrait l'échéance. Elle survint un beau matin par le biais d'un huissier qui apposa les scellés sur la porte du Château et se rendit maître de la place.

Ce fut pour nous tous un moment tragique. Nous pensions que mon frère Ulysse était un génie en affaires. La saisie révéla le contraire. Dès ce moment, un conseil de famille fut convoqué pour révoquer l'administrateur en place et trouver des solutions à un problème épineux.

Après des tâtonnements et des pourparlers entre les différentes instances lésées dans leurs droits, il fut convenu de deux priorités entre les parties. D'abord, Ulysse ne serait plus l'administrateur en titre, il fut remplacé par Georges-Henri, lequel s'engagea à rembourser l'argent dû aux plaignants. S'il y eut des frictions entre les deux frères concernant les changements obligatoires, elles ne furent pas un sujet de discorde. Ulysse reconnut son incompétence et la barre fut confiée à Georges-Henri, moins pourvu d'entregent que l'aîné mais davantage responsable et sobre, ainsi que peu bavard et moins liant avec la clientèle. Ensuite, il restait à colmater les fissures causées par l'impéritie d'Ulysse, ce que fit Georges-Henri avec beaucoup d'application et de responsabilité, ayant promis par écrit de rembourser les créanciers jusqu'au dernier cent.

C'est tout de même curieux, de dire Dolly, que la famille ait misé d'abord sur Ulysse, mais cela s'explique : il était plus instruit et enjôleur, alors que Georges-Henri, nanti d'une personnalité assez terne, donnait l'impression de suivre aveuglément son grand frère. Comme dans la vie courante, on se laisse parfois berner par les apparences plutôt que par le contenu.

***

En 1957, Dolly avait 24 ans. Sa vie se déroulait paisiblement au sein d'une famille qui la chérissait et la sécurisait, un mot important dans son langage. Sauf pour les faits et gestes d'un quotidien répétitif, rien ne semblait la favoriser sur le plan de l'amour, car elle rêvait d'aimer et d'être aimée. À Saint-Félicien, elle avait bien quelques prétendants, surtout des amis occasionnels, sauf que personne dans son entourage ne lui faisait une cour assidue ou lui glissait à l'oreille : « Normande, je vous aime. » Les Félicinois de l'époque n'étaient guère romanesques et ne lisaient pas les romans de la comtesse de Ségur. Desservie par sa petite taille, Dolly ne pouvait espérer que son rêve se réalise dans son patelin, où beaucoup d'hommes cachaient leur tendresse sous des manières rudes. Comme la forêt qui les entourait, ils avaient beaucoup de sauvagerie en eux et ils étaient peu enclins au marivaudage des sociétés courtoises. Ils aimaient souvent sans le dire, gênés d'afficher leurs sentiments, signe de faiblesse pour certains. La rigueur imposait des attitudes et des comportements saugrenus, aux antipodes de la préciosité, du raffinement et de la subtilité. Un homme digne de ce nom ne laissait pas transparaître ses émotions et ne se donnait pas en spectacle.

Un matin, le facteur apporta une lettre à Dolly, qui avait 17 ans à cette époque. Elle l'ouvrit, surprise de voir le nom de l'expéditeur, et la relut plusieurs fois.

Chère Normande,

Lors de mon dernier spectacle à Roberval, j'ai eu le plaisir de te croiser. Nous n'avons pas eu l'occasion d'échanger des propos et de faire plus ample connaissance. J'ai obtenu ton adresse. Je voulais t'écrire. Comment vas-tu? Je donne des spectacles ici et là, mais je ne pense pas retourner au Lac-Saint-Jean avant un bon bout de temps. Néanmoins, j'en profite pour te dire que j'aurai beaucoup de plaisir à te revoir. J'ai pensé que nous pourrions peut-être monter un numéro d'acrobatie ensemble. Enfin, j'ai une idée que je te ferai partager lors d'une prochaine rencontre. Je continuerai à t'écrire et, en attendant, je te souhaite toutes sortes de bonnes choses.

Paul Hébert

Cette première lettre ne s'inspirait pas de l'art épistolaire à son meilleur. Né en 1920, Paul était d'abord un homme simple, peu instruit, sans prétention, essentiellement préoccupé par le culturisme. Il rêvait d'égaler les meilleurs, surveillait ses progrès et consultait des dizaines de magazines – surtout ceux de Ben Weider, dont il faisait parfois les pages couverture – pour que sa forme physique soit à la hauteur de tous les critères de la beauté plastique. Sans être vaniteux à outrance ou amoureux de sa personne, il souhaitait recréer, par l'effort et la volonté, ces jeunes athlètes de la Grèce antique et devenir pour ses compatriotes le modèle décrit par Polyclète, auteur de plusieurs œuvres admirables, dont *Doryphore*, le porteur de lance.

La beauté réside dans le rapport non entre les éléments mais dans les parties, c'est-à-dire entre doigt et doigt, entre les doigts et la paume, entre la main et l'avant-bras, elle réside dans un rapport réciproque de toutes les parties du corps[8].

Platon affirmait lui aussi que l'univers était construit à partir de rapports géométriques. L'anatomie et la géométrie fusionnaient en un tout, une partie servant l'autre.

Dans une dimension plus modeste, Paul partageait cette conception antique de la beauté physique, idéal partagé par Ben Weider, maître d'une discipline axée sur l'effort, la détermination et la pureté des lignes.

Paul n'envisageait pas de devenir de son vivant aussi puissant que Milon de Crotone, athlète à la force herculéenne dont la statue au Louvre, une œuvre de Pierre Puget, nous le montre la main prise dans l'étau d'un arbre fissuré. Mais tels Jean-Yves Dionne, un culturiste de la première heure, ou Émile Maupas, un entraîneur d'athlètes, il pensait qu'il servirait d'exemple et que de plus en plus de jeunes Québécois pourraient fortifier leur corps et leur esprit par une discipline ardue et un entraînement intensif.

***

Par le biais de ses magazines, de ses produits et de son enseignement, Ben Weider a beaucoup marqué Paul Hébert et a aussi inspiré un grand nombre de jeunes Québécois. La réussite de ce personnage passionné et charismatique tient à quelques facteurs-clés: détermination, travail acharné, hygiène de vie, foi en sa mission.

Né à Saint-Lin dans les Laurentides, il a grandi au sein d'une nature somptueuse, laquelle, tout au long de sa jeunesse, l'a fortement influencé. C'est dans l'action intense que Ben déploiera ses ailes et mettra sur pied une entreprise qui prendra plus tard racine en France

---

8. Sculpteur de génie et maître incontesté des proportions, qui vivait à Agos dans la deuxième moitié du ve siècle av. J.-C. et qui établit dans *Canon*, un traité théorique d'un système sur les proportions, l'image parfaite de l'athlète.

et le fera connaître dans près de cent trente-six pays. La santé, la force, l'harmonie du corps et de l'esprit sont ses armes de combat.

Après avoir pratiqué la boxe, la lutte et maints autres sports, il fit sa marque professionnelle dans un créneau surtout occupé par les étrangers et adopta une devise qui clama ses valeurs : *Bodybuilding is important for nation building*. En effet, comment construire une grande nation avec des individus hypothéqués dès leur jeunesse par la maladie ? Ben Weider formule cette recommandation pour ses élèves :

> Ne vous attaquez pas aux choses faciles, mais aux tâches les plus ardues. Prenez l'habitude de l'ordre, ayez confiance en vous, ne craignez ni les obstacles ni les embûches, soyez persévérants dans la continuité, contractez de bonnes habitudes, ayez une attitude morale positive, observez une bonne hygiène mentale et alimentaire, définissez clairement les buts à atteindre, entraînez-vous pour développer vos points faibles, voilà une recette éprouvée pour canaliser le succès, la santé et l'harmonie.

Des milliers de jeunes souhaitant modifier le cours de leur vie adoptèrent le système Weider orienté sur des réalités concrètes. Au cours de sa carrière, Ben Weider ne sera pas seulement un vendeur de produits, mais aussi un messager sans frontières, un prêcheur, un missionnaire, un écrivain, un pèlerin philosophe qui regarde le monde par la large fenêtre d'un humanisme qui le consacre dans son domaine comme l'un des grands oracles de la culture physique des temps modernes.

On comprend mieux que Paul Hébert, le dévoreur de magazines publiés par l'entreprise de Ben Weider, se soit branché sur son école pour trouver sa propre voie.

***

Dans les années 1950, une floraison d'hommes forts donnaient des spectacles dans les salles paroissiales, les cinémas et les autres endroits publics, la force étant une attraction fort aimée par les amateurs d'exploits étourdissants.

Donat Lacroix gérait la carrière du phénomène du Lac-Saint-Jean, Victor Delamarre. Né à Hébertville le 24 septembre 1888, mesurant 1,67 m, fortement constitué, lutteur, policier et homme fort, il était remarquable par son arraché d'une seule main d'un poids de 140 kg – record non homologué. L'homme fort du lac Bouchette (référence à la ferme paternelle) soulevait des charges énormes, il montait dans un poteau électrique, un cheval de 680 kg harnaché à ses épaules, sous les regards ébahis de la foule. Dans les années 1950, ce roi de la force habitait une grande maison rue de la Canardière, à Québec, bâtiment identifiable par la grande statue de Saint-Joseph qu'il avait lui-même portée à bout de bras pour l'installer sur un socle. Buveur de thé invétéré (il en consommait une trentaine de tasses par jour), Victor s'éteignit le 14 mars 1955, à l'âge de 67 ans, peu après une grande fête populaire organisée en son honneur par son gérant au Colisée de Québec.

Fureteur invétéré de documents et de revues spécialisées consacrées à la force et à la santé, Paul Hébert cherchait les héros dans son monde et celui de ses prédécesseurs. Il les connaissait tous : Claude Grenache, David Têtu, Julien Deschamps, Joseph Taillefer, Gus Lambert, David Michaud, Louis Cyr, Horace Barré, Maxime Duhaime, Étienne Desmarteaux, Hector Décarie, les frères Baillargeon, tous des phénomènes de la nature dont certains déchiraient des pièces de monnaie, alors que d'autres assommaient un bœuf d'un coup de poing entre les deux yeux.

Paul vibrait en lisant des articles élogieux sur un homme toujours présent dans l'esprit d'un large public friand d'exploits sportifs. Traverser la frontière du temps à titre posthume, être toujours dans le vif des sujets abordés par les nostalgiques était un tour de force dont peu de portés disparus pouvaient se glorifier. Paul savait que seul un très petit nombre d'individus franchiraient la porte de la renommée.

Jos Montferrand (1802-1864) avait eu, de son temps, une stature exceptionnelle dans le monde des hommes forts, une réputation d'invincibilité qui le porta aux nues dans l'estime et l'affection de ses concitoyens. Ce personnage d'une beauté puissante et d'une bonté virile portait au rêve. Jos symbolisait les grands espaces, les risques à la limite du courage – allié à la prudence – et de l'intelligence. Le sens des affaires, le respect des femmes et des faibles, une vie frugale et exemplaire le plaçaient dans les premières places au panthéon des hommes forts. Sa carte de visite: marquer d'un coup de talon les poutres basses des auberges qu'il fréquentait, en souvenir de son passage. Issu d'une petite bourgeoisie laborieuse, instruit par ses parents de ses devoirs envers ses compatriotes, de bonne éducation, il se battait, si on l'y forçait, lors de rencontres sportives.

Paul Hébert, le doux rêveur, ne suivait pas un plan d'action pour s'affirmer, mais se laissait porter par les événements, absorbé par les récits d'hommes forts et se demandant sans doute de quelle façon ils avaient été des légendes de leur vivant. Paul n'était pas un être complexe dévoré par ses démons intérieurs, inquiet de son avenir ou prompt à saisir les occasions. S'il s'entraînait tous les jours avec application, il ne courait pas après les contrats et attendait de pied ferme les événements sans se départir de son calme.

Roger Boissonnault, surnommé «Doigts magiques», masseur d'athlètes et de personnages de renom, fit la rencontre de Paul Hébert au Cap-de-la-Madeleine, à proximité de Trois-Rivières, la ville des pâtes et papiers.

> J'ai croisé Paul de nombreuses fois. Nous étions plus jeunes que lui, nous fréquentions les gymnases et nous avions une grande dévotion pour les hommes qui modelaient leur corps comme les statues grecques. Les années 1950 ont été bénéfiques à plusieurs d'entre nous, devenus avec le temps des culturistes notables, mais il y a toujours eu un écart profond entre l'athlète antique et le culturiste de la modernité, en ce sens que le premier possédait une dimension psychologique – dans l'esprit du temps –, alors que le second est le produit du miroitement qui débouche le plus souvent sur le narcissisme. Paul nous donnait des conseils pratiques et nous sentions qu'il se sentait à l'aise avec lui-même, pas tellement avec les autres. Un homme de solitude, de repli, avare de

mots, ce qui ne l'empêchait nullement d'offrir à sa clientèle un spectacle épatant.

Dolly confirme cette description selon laquelle Paul était un homme solitaire, sociable mais peu mondain, replié sur lui-même, très perfectionniste dans son art, déterminé, travailleur et insouciant comme un enfant qui fait l'apprentissage de la liberté.

Paul avait les défauts de ses qualités. Sa notion du temps était vague. La ponctualité chez lui faisait défaut. Il arrivait toujours en retard pour une répétition ou un spectacle, sans réussir à s'adapter aux horaires. Bohême dans son cheminement, l'argent le préoccupait peu. Il planifiait peu, misait sur des hasards heureux pour que tout fonctionne. Il décrochait des contrats, les respectait sans vraiment se soucier du lendemain ni prévoir les coups durs. Il comblait ses lacunes par son intégrité, son bon cœur et son âme d'enfant. Modeste dans ses attentes et ses prétentions, la pensée de devenir riche ne l'effleurait même pas. Ce que je retiens de Paul, avec lequel j'ai travaillé et vécu durant cinquante ans, c'est sa probité, sa loyauté, sa douceur naturelle et le respect qu'il témoignait à autrui. Le gamin insouciant n'était pas sorti de lui, ce qu'il resta toujours avec les années, un petit garçon avec un corps d'athlète.

***

Dolly reçut à Saint-Félicien plusieurs lettres de Paul. D'abord tâtonnantes, elles se précisaient. « J'ai pensé à ce numéro que nous pourrions faire ensemble. Je crois que ça marcherait. Il suffirait de nous entraîner pour le mettre au point », écrivait-il, ajoutant qu'il pensait honnêtement être capable de fignoler pour la scène un numéro intéressant.

Il me tendait la perche, raconte Dolly. Mais si je décidais de m'expatrier, cela signifiait me séparer des miens pour une aventure incertaine, ignorant à ce moment-là dans quelle mesure Paul était sérieux. J'avais 22 ans, un tempérament bougeant, et après réflexion, en pesant le pour et le contre, j'en vins à la conclusion – plus amoureuse du spectacle que de Paul – qu'une expérience du genre ne serait pas de refus. Je ne fermais pas une fenêtre à tout jamais sur mon vécu à Saint-Félicien, mais j'en ouvrais une autre sur des probabilités intéressantes pour une personne de petite taille. D'autres nains connaissaient de beaux succès au cinéma, dans le music-hall et la lutte, tirant avec brio leur épingle du jeu. À 22 ans, habituée au public et très attirée par les grandes villes, qu'avais-je à perdre? Je crus le moment venu de tenter ma chance dans la vraie vie, celle de l'inconnu, de l'insécurité, du doute, du désarroi, de la peur et de la souffrance.

Les gens de taille normale peuvent-ils imaginer un seul instant la difficulté pour un nain d'entrer dans le monde des grandes personnes, de s'y tailler une place, de rayonner, de devenir une tête d'affiche et d'être, par le talent, l'égal des gourous de la scène? La lutte a mis en évidence plus que n'importe quel sport connu une kyrielle de petits athlètes d'une rare virtuosité, dont les plus spectaculaires furent sans doute Little Beaver(le bon) et Sky Low Low (le méchant), par ailleurs comédiens chevronnés multipliant les prouesses dans l'arène. Ces merveilleux acteurs donnèrent de leur vivant des performances inégalées, tant par la souplesse que par les culbutes et les mimiques expressives.

Rappelons brièvement que les années 1950 ne sont pas un pactole pour les artistes de tout poil: comédiens, chanteurs, écrivains, peintres, enfin tous ceux qui vivaient chichement de leur art. De vieux artistes parlent d'un âge d'or, affirmation très loin de la vérité. Certains émergent difficilement de l'anonymat et marchent financièrement sur un fil de fer tendu au-dessus d'un précipice. Pour se faire connaître, être reconnu, il faut aller à Paris ou aux États-Unis. On n'a qu'à penser à Félix Leclerc, reconnu par les Français avant de l'être par les siens. Après un séjour de trois ans en France, il revenait au bercail auréolé par une consécration internationale qui lui ouvrait toutes les portes. Il était devenu un personnage admiré tout simplement parce que l'imprésario Jacques Canetti l'avait produit sur les scènes de la francophonie, un peu comme on sort un ours d'une cage pour le faire danser à la corde.

Félix disait que des milliers de talents restaient méconnus parce que la roue du hasard ne favorise qu'un petit nombre d'artistes postés à la bonne place, au bon moment. Ce qui était vrai pour lui s'appliquait à d'autres.

L'époque où Dolly fit son apprentissage sur scène, dans des conditions particulières, était loin d'être l'âge d'or des artistes francophones du Québec, comme nous le décrivons dans ce chapitre. C'était plutôt une course folle dans un circuit noyauté par quelques étoiles filantes. Rien d'acquis pour personne. Les courts moments d'euphorie succédaient à des périodes sombres durant lesquelles le facteur apportait plus de mauvaises nouvelles que de bonnes.

À l'invitation de Paul, Dolly quitta définitivement Saint-Félicien le 23 octobre 1957, pour s'installer à Montréal, ville ouverte, comme l'appelaient des dénigreurs, métropole où se côtoyaient, selon les censeurs, le pire et le meilleur.

Maurice Duplessis dirigeait le Québec (1944-1959) d'une main de fer, et le très conservateur John Diefenbaker était premier ministre du Canada (1957-1963). Cette année-là mourut Staline, qui avait fait trembler le monde occidental, et Elizabeth II, gracieuse suzeraine des Canadiens, coiffa la couronne de reine d'Angleterre.

À Montréal, ville dirigée par Jean Drapeau – qui deviendra par la suite, avec ses grandes expositions à caractère international, le plus connu des Québécois d'un bout à l'autre de la planète –, le vice sous toutes ses formes a pignon sur rue. La pègre est omniprésente partout dans les bars et les cabarets où pullulent les filles de joie, affichant ses couleurs; malfrats et scélérats de tout poil règnent avec arrogance sur les secteurs du jeu, de la prostitution et de la drogue. D'ailleurs, beaucoup d'artistes de cabaret sont à la solde de truands locaux, mafiosi alliés à ceux de New York, lesquels se partagent le territoire montréalais. La racaille en mène large.

Cette courte rétrospective permet de mieux comprendre le type d'ambiance et de moralité qui prévalaient lors de l'insertion de Dolly dans une ville qu'elle ne connaissait pas, pour entreprendre – sur les instances de Paul – une carrière plus ou moins problématique qui ne reposait que sur une vague promesse.

Ce 23 octobre 1957, se remémore-t-elle, il faisait un froid de loup. Le vent balayait les feuilles rouges et jaunes qui jonchaient le parc en face du presbytère et couvraient la rue Saint-Jean-Baptiste, et je me disais que j'abandonnais le réel pour l'inconnu.

À la fois inquiète et joyeuse, je me demandais si les circonstances me seraient favorables ou non. J'avoue que je suis aventureuse, et à 22 ans, ayant acquis un peu d'expérience dans les commerces de mes frères, je pensais que le moment de mon émancipation était arrivé. Ma petite taille ne devait pas être un handicap mais un atout dans le scénario un peu flou que Paul me proposait. À la fois angoissée et enthousiaste, comme on peut l'être au début de la vingtaine, je me disais que je n'avais rien à perdre et tout à gagner.

Jusque-là, aucun défi ne m'avait été proposé, du moins dans la mesure de mes attentes profondes. Je me contentais d'exister dans mon cocon sécuritaire au sein d'une collectivité routinière plus ancrée dans le connu que l'inconnu. Oser rompre les amarres est un acte de foi pour soi-même. Ce geste symbolique d'une liberté nouvelle, je décidai de le faire avec confiance, poussée par un irrésistible espoir de pouvoir démontrer que je serais autre chose dans la vie qu'une bonne à tout faire. Ce départ m'inondait de joie à la seule idée d'acquérir un autre statut, celui d'artiste, car Paul me voyait sur scène dans un rôle que je n'imaginais même pas avant qu'il me parle du numéro spécial qu'il voulait mettre au point avec moi. De prime abord, ça me semblait emballant, d'autant plus que je croyais avoir des dispositions pour devenir une artiste. J'aimais follement le cinéma, le music-hall, le spectacle sous toutes ses formes, et j'admirais de tout mon cœur ceux et celles qui se donnaient comme but premier de distraire, d'amuser, de surprendre, d'ébahir.

Je me souviens de ce premier voyage vers la grande métropole. Je montai à bord du Canadien National qui desservait la région à partir de sa base ferroviaire de Chambord et je me calai dans un fauteuil, maîtrisant mal ma nervosité. Dès que le train fut en marche, je vis s'estomper peu à peu les paysages que je connaissais bien, enveloppés dans la brume froide de l'automne. À ce moment-là, il fallait onze heures pour franchir la distance entre Saint-Félicien et Montréal, et j'eus tout le temps de me poser un tas de questions pertinentes. Où allais-je loger? Comment Paul était-il installé? Comment expliquer à Rosaire, mon petit ami de Saint-Félicien, que je m'installais définitivement à Montréal? Mon père m'avait donné son aval, mais il semblait attristé, inquiet de mon sort, peu communicatif. Le regard qu'il posa sur moi lorsque je franchis la porte pour me rendre à la gare de Saint-Félicien était songeur.

Et Rosaire était une ombre au tableau. Garçon de table, il travaillait six mois au Château, à Saint-Félicien, et le reste de l'année à Montréal. Nous n'avions pas une idylle sérieuse. Il m'accompagnait assez souvent dans mes sorties et parlait beaucoup avec moi. Il n'y avait rien de conséquent entre nous, sauf des baisers et des attouchements. Depuis mon agression dans la chambre où je faisais un lit, je prenais mes distances par rapport aux jeux de l'amour. Il était difficile pour moi d'oublier l'attaque brutale de Viateur. Je ne mettais pas tous les hommes dans le même panier, mais je pensais que la prudence était pour moi – si petite et sans défense – une cotte de mailles dont je ne me séparerais jamais.

« Méfiance pour la vie? » lui demanda un jour l'un de ses amis, en badinant. « Le temps le dira », répliqua-t-elle. Son association avec Paul Hébert allait changer beaucoup de choses.

Paul attendait Dolly à la gare Windsor, située dans l'un des secteurs architecturaux les plus pittoresques de Montréal englobant de très beaux édifices aux formes massives et élégantes, dont l'Hôtel Windsor, l'Université McGill, le Ritz Carlton – avec ses conciergeries d'un luxe insolent –, l'Hôtel-Dieu de Jeanne Mance – qualifiée par l'histoire d'admirable infirmière –, le superbe et verdoyant mont Royal, dominant la ville aux clochers orgueilleux dressés vers le ciel, autant de merveilles que la jeune fille découvrit avec ravissement.

Dès le départ, dit-elle, je m'adaptai sans aucune peine à mon nouvel environnement. Je me sentais dans mon élément. Comme petite personne, j'aime l'étalage des grandes choses.

Paul ne roulait pas sur l'or. Il occupait une simple chambre de type pension de famille dans un immeuble modeste. Il y avait un lit double, une table, deux chaises et un fauteuil, une cuisinière et ce qu'il fallait – ustensiles, poêles et chaudrons – pour se faire à manger. Comme il voyageait sans arrêt, il s'agissait pour lui d'un pied-à-terre qu'il occupait entre deux déplacements.

Je ne m'attendais nullement à trouver Paul dans une suite royale. Il ne mentait pas, et sa modestie était proverbiale. Je ne pense pas, à la lecture de ses lettres, avoir imaginé autre chose que ce que je découvris : une pièce austère, tout de même confortable, médiocrement aménagée et strictement pourvue de l'essentiel. Je ne fus pas déçue, pour la bonne raison que Paul ne m'avait rien promis, sinon de monter un spectacle dans lequel j'aurais un rôle.

« Où vais-je loger ? lui demandai-je avec mon entrain coutumier.

— J'ai loué une chambre pour toi, voisine de la mienne. Nous serons sur le même palier. »

Il s'empara de mes bagages et me conduisit effectivement dans mon nouveau royaume, bien piteux par rapport à ce que j'avais laissé à Saint-Félicien. Il ouvrit la porte, guettant ma réaction. Il semblait ravi que j'aime ça... et s'empressa de me fournir des coordonnées pratiques. Après onze heures de train, je crois que j'aurais dormi sur une pelote d'épingles.

« C'est à ton goût ? me demanda Paul.

— Parfaitement », dis-je, morte de fatigue, me rappelant que mon rêve était encore très loin des contes de la comtesse de Ségur.

***

À son arrivée à Montréal, Dolly ne vécut pas aux dépens de Paul. Bien que piètre administrateur, Ulysse l'avait inscrite au plan d'assurance-chômage, de sorte qu'elle pouvait se prévaloir durant plusieurs mois d'une allocation mensuelle que touchaient les chômeurs de l'époque.

Comme mes besoins étaient modestes, je pouvais me suffire pendant un an. Ce n'était pas la mer à boire, mais Paul et moi menions une vie frugale. Il n'avait rien du dépensier qui dilapide son argent, sauf pour ses magazines. Il n'économisait pas, ne se montrait pas radin avec moi et m'emmenait parfois au restaurant chez Napoléon, restant dans les utilités et oubliant que les femmes aiment les futilités, ces petits riens qui agrémentent la vie. Ni fleur bleue, ni sentimental, ni romanesque, Paul incarnait le brave type sans complication, peu expansif, généreux à sa manière mais sans extravagance. Tendre, il était dépourvu de cette sensibilité vibrante que l'on retrouve chez les poètes.

L'immersion de Dolly dans le bain tourbillonnant de la métropole dura quelques semaines, le temps qu'elle se familiarise avec un mode de vie aux antipodes de celui qu'elle avait à Saint-Félicien. Après quoi Paul lui annonça un jour que la période d'entraînement commençait.

« Où va-t-on s'entraîner ? demanda Dolly de sa petite voix, car elle attendait ce moment avec impatience.

— Dans la salle à manger de la maison de pension, à l'heure où il n'y a plus personne. On sera à l'aise pour nos pratiques. »

Il ne proposait pas un gymnase en particulier, un endroit qualifié pour l'entraînement, mais une modeste salle à manger attenant à un petit salon un peu miteux, avec son ameublement désuet et ses draperies rouges.

Essentiellement un nomade sur la route d'un circuit qu'il parcourait une année après l'autre, selon les exigences de ses contrats, Paul ne connaissait que des pied-à-terre, forcé par son métier de courir les routes dans des conditions parfois chaotiques et difficiles pour donner ses spectacles avec sa partenaire Suzanne, laquelle mesurait 1,50 m et pesait 41 kg. La tenir d'une seule main pour la présenter au public était pour lui un jeu d'enfant. Tout spectacle nécessitait une incroyable dépense d'énergie et, disons-le, du courage. Les routes carrossables du Québec en dehors des villes ressemblaient à des pistes poussiéreuses. En outre, les conditions dans lesquelles les artistes voyageaient à sept ou huit dans un véhicule qui s'essoufflait dans les côtes abruptes, l'occupation à plusieurs de chambres minables dans des établissements de troisième ordre, l'exploitation fréquente des artistes par des gérants sans vergogne et peu scrupuleux, le manque de savoir-vivre de beaucoup de clients dans les boîtes de nuit, ainsi que d'autres contraintes dont la liste est longue, pouvaient, pour certains artistes sensibles et émotifs, devenir un véritable supplice de Tantale, ce roi de Phrygie qui, pour avoir déplu aux dieux, fut enchaîné et ne put apaiser ni sa faim ni sa soif, la nourriture se dérobant chaque fois qu'il voulait saisir des fruits ou une outre pleine d'eau fraîche.

***

Après l'avènement de la radio, en 1922, formidable agent de rapprochement, il s'écoula plus de trente ans avant que la télévision, machine de rêve et d'évasion, fasse son apparition, en 1952, avec Radio-Canada. Dix ans plus tard, en 1961, J. A. de Sève, président de France Film, obtenait un permis pour lancer Télé-Métropole, grande rivale de la télévision d'État.

Un bref regard sur les ébats de la faune artistique – sorte de portrait inachevé – est nécessaire pour comprendre l'évolution d'hier à aujourd'hui du monde effervescent du spectacle.

Qui se souvient du journaliste Mario Duliani, auteur de *La prison sans femmes*, écroué avec plusieurs de ses concitoyens au camp de détention de Petawawa durant la Seconde Guerre mondiale? Personne. Pourtant, ce merveilleux conteur dirigeait, dans les années 1930, la section française au réseau de Radio-Canda, en même temps que Charles Goulet et Lionel Daunais préparaient et animaient *Les Variétés lyriques*. Robert Gadouas étonnait par la diversité de son talent dans le rôle de Puck, et aussi par l'intensité de son interprétation magistrale dans *Le Songe d'une nuit d'été*. Finalement, il ne reste que les mots enfouis dans les livres à découvrir. Qui se souvient de cette époque charnière où Pierre Dagenais fascinait par son brio, du père Paul-Émile Legault, grande figure du théâtre et formateur de comédiens, de Paul Dupuis, personnage imprévisible et acteur chevronné qui fit du cinéma en France et surtout en Angleterre, de Gratien Gélinas, le galopin sublimé par son rôle de Ti-Coq? Qui se rappellera dans une génération que les années 1940 furent celles des téléromans avec Estelle Mauffette, la Donalda de l'interminable série *Un homme et son péché*, Camille Ducharme, Hector Charland, Henri Poitras, Philippe Mercure et tant d'autres grands disparus, tous ces comédiens de l'écran: Maurice Beaupré, Gilles Pellerin, Gilbert Chénier, Pierre Dufresne, Maurice Gauvin, Nana de Varennes, Pierre Boucher, Ève Gagné, Lise Lasalle, bref, une panoplie de grandes figures de la scène et de l'écran qui personnifièrent des personnages adulés par le public? Le temps efface presque tout au fil des décennies, et dans les sociétés sans mémoire comme celle du Québec, il suffit souvent d'une génération pour que le patrimoine artistique sombre dans l'oubli.

Durant la décennie où Dolly quitta le Lac-Saint-Jean pour commencer un entraînement de six mois à Montréal sous la direction de Paul Hébert, quelle était la situation de la colonie artistique? Quels étaient les espoirs et les préoccupations du milieu? Et la complicité des artistes avec le grand public? Qui étaient les imprésarios, les vedettes montantes et les têtes d'affiche?

Comme imprésario, Jean Grimaldi occupait une place à part dans la mosaïque de la famille du spectacle. À titre de gourou et de directeur du théâtre Canadien – alors situé sur la rue Saint-Catherine, près de Montcalm –, il pilotait une troupe active de comédiens, de chanteurs, de diseurs et diseuses, de chansonniers et d'amuseurs publics. S'il avait vécu à l'époque du bossu de Notre-Dame, Grimaldi l'aurait sûrement mis sous contrat. Par sa nature, ses initiatives, son entregent, sa perspicacité et son amour de la scène, il se distinguait comme un éclaireur de premier ordre sur le front de la mobilisation de talents en herbe. Rien ne lui échappait. Dans son écurie, au fil de ses présentations, il accumulait les noms d'artistes marquants: Juliette Pétrie, Paul Desmarteaux, Claude Blanchard, Paolo Noël et Olivier Guimond, lequel devint par la suite, grâce à une série populaire hilarante, une sommité des gloires de la scène. (Rappelons-nous aussi le slogan publicitaire qu'il disait pour une marque de bière bien connue: «Lui, y connaît ça ! ») Avec un flair indiscutable, Jean Grimaldi collectionnait les bons artistes de tout poil, et le milieu le respectait et l'aimait.

Mais le grand art du théâtre et de la scène n'était pas né avec Hector Charland, Paul Guèvremont ou Juliette Béliveau. Bien avant la cuvée des années 1950, Joseph Quesnel mettait en scène, en 1790, la première pièce dramatique du répertoire canadien : *Colas et Colinette*. Bien avant Henri Deyglun ou Jean Despréz, Nicole Germain ou l'épopée de la première grosse vague d'artistes nés avec la radio et plus tard avec la télévision, il y avait eu, dès 1825, le théâtre Royal, érigé par John Molson, mécène qui disait qu'un pays sans art est un pays sans âme. Même si, en 1890, on comptait à Montréal pas loin de dix théâtres où se produisirent Emma Lajeunesse (Albani), la grande comédienne Sarah Bernhardt et de nombreux artistes de renom, on ne pouvait pas encore parler d'un loisir populaire – ni dans la forme ni dans l'accessibilité – ou perçu comme un outil de communication de masse. La scène classique n'était pas dépouillée pour que l'accent soit mis sur les comédiens noyés dans le fouillis d'objets divers. L'accent était mis sur l'enflure, la déclamation pompeuse dans le style Cyrano de Bergerac. La radio et la télévision allaient bouleverser la conception contemporaine du spectacle et désaliéner le spectateur, prisonnier jusque-là de formes figées par la tradition.

Mentionnons que le véritable bâtisseur et promoteur d'artistes et de l'industrie artistique québécoise fut le fondateur de l'empire Quebecor, celui que l'on affubla un temps du titre de « roi de la presse pop », Pierre Péladeau. Avec ses premiers hebdomadaires, il décela, mesura l'attrait que les artistes exerçaient sur le public et contribua à sa manière, par le biais de ses nombreuses publications artistiques et à grands coups de manchettes, à leur fournir un soutien publicitaire inespéré, pour les faire connaître d'un bout à l'autre du Québec. Personne n'avait fait ça avant lui.

Au temps de ses études universitaires, il avait joué un rôle d'imprésario, ce qu'il voulait d'abord devenir, organisait des débats et des événements culturels et ne cachait pas que son grand rêve aurait été de dominer la scène québécoise à titre d'imprésario. Ce créateur d'images méthodique, pragmatique, que les grandes affaires mobilisèrent plus tard, considérait que le meilleur artiste au monde – comme tout produit – traversait quatre phases cycliques : l'introduction, la croissance, la maturité, le déclin, et qu'il devait, pour durer, soulever l'enthousiasme, rester populaire, déclencher partout une perception favorable, être soutenu par des articles percutants et des images fortes. À titre de « Roi de la presse pop », Pierre Péladeau disait sans ambages, parlant de sa contribution à la colonie artistique québécoise :

> J'ai fabriqué des idoles, donné aux artistes le goût d'être plus, créant autour d'eux un engouement durable qui les éleva à des hauteurs qu'ils n'auraient pu atteindre sans mon appui logistique constant. En leur faveur, j'ai alimenté les frissons d'un vaste public idolâtre. Mes journaux n'étaient pas sans faiblesses, mais ils servirent à consolider ou à sacraliser les images de beaucoup d'artistes vénérés par le grand public.

Pierre Péladeau, le bâtisseur, ne fut pas de son vivant un homme ordinaire, mais un passionné à la limite de ses moyens physiques, ne cachant pas sa dévotion pour le milieu artistique.

***

Mon entraînement acrobatique fut une série de répétitions laborieuses, relate Dolly. Mes pirouettes avaient le don d'amuser Suzanne et Mona, deux anciennes partenaires de Paul, et de les faire rire aux larmes. Suzanne fut mon modèle. Dans ce numéro acrobatique, je devais, avec mes petites jambes, servir de point d'appui à Paul, merveilleux équilibriste de 160 livres et capable, avec un instinct sûr, de réduire la charge sur mes genoux en la répartissant par de simples torsions. Paul possédait le don inégalé de diviser, de fractionner son poids, ce qui ne l'empêcha pas, au début de notre entraînement, de crouler de rire devant mes efforts pour être à la hauteur des attentes. Mes jambes sont fortes, musculeuses, mais il arrivait qu'elles flanchent sous le poids. Cent fois nous répétions le même exercice, car il fallait trouver le point central de gravité pour que je soutienne les poids combinés de Paul et Suzanne. Je ne me lassais pas d'apprendre, de découvrir que la répétition des mêmes gestes finit par donner les résultats attendus. L'équilibrisme n'est pas autre chose qu'une maîtrise parfaite des moindres mouvements de notre corps. Au bout de six mois, j'étais sur la bonne voie, mais j'avais encore beaucoup de choses à apprendre. Dans ce métier, seul un entraînement constant entretient l'expertise acquise à la sueur de ton front.

«Tu es prête, me dit Paul, un jour.

— Es-tu certain?»

Car je doutais un peu de moi. Je me demandais quel serait le résultat sur une scène de cabaret, confrontée à un public exigeant, au lieu d'une salle à manger de pension de famille. Tout public revendique le meilleur d'un artiste, lequel doit se montrer encore plus rigoureux envers lui-même s'il veut épater la galerie. Je retenais une grande leçon de Paul: il était d'une terrible exigence, soucieux des détails, de l'effet visuel, de l'harmonie des gestes.

Lorsque Paul s'écria, au terme d'un long entraînement «On l'a l'affaire!», je sus que je pouvais affronter le public et intégrer au numéro des initiatives personnelles qui donnaient de la couleur au spectacle. Mes facéties, mes mimiques expressives déridaient l'assistance, qui s'amusait des pitreries inventées par moi. Je passais du rôle d'équilibriste à celui de comédienne, et je peux dire, à la louange des petites personnes – me rappelant les exhibitions uniques de Little Beaver et de Sky Low Low, des amis à moi, dans le domaine de la lutte –, que les gens de petite taille sont passés maîtres dans l'art de divertir un public par des cabrioles qui s'alimentent à un talent naturel de comiques de haute volée. Dans ce domaine, les lutteurs nains ont été des virtuoses jamais égalés, des comédiens exceptionnels, créant pour leur public des scènes d'une cocasserie sans précédent.

***

Dolly dresse brièvement le tableau des cabarets qui offraient des spectacles à des clientèles hétéroclites: le Beaver, le Rialto, le Béret bleu, le Casino de Paris, le Copacabana, le Casino français, les Trois

Castors, le Café provincial, Chez Paré, le Café Saint-Jacques, le Café Montmartre, le Faisan doré formaient avec des dizaines d'autres boîtes de nuit, dont la liste est longue, le chaînon, le circuit accessible aux artistes de tout acabit. « Un cabaret sans spectacle, ça n'existait pas, dit Dolly. Un cabaret digne de ce nom présentait un spectacle. »

Toutefois, beaucoup de ces établissements affichant des enseignes pompeuses cachaient des activités illicites.

Le lieutenant Émile Ducharme dirigeait à ce moment-là la patrouille de la moralité de la police de Montréal, et tenait un répertoire peu flatteur des patrons et du personnel de ces boîtes à la moralité élastique.

Le présentateur de talent Jacques Normand chantait *Les nuits de Montréal*, mais il se gardait bien d'en révéler les dessous sordides et sombres. La métropole vivait alors sous le régime du miroir trompeur, montrant une réalité moins belle que celle véhiculée par les refrains populaires.

L'ambiance variait d'un endroit à l'autre, et les airs distingués que se donnaient les portiers aux gros biceps et en costume de soirée ne donnaient pas pour autant des lettres de noblesse à de véritables repaires de fricoteurs où de nombreux employés, garçons de tables et serveuses possédaient comme curriculum vitæ un dossier judiciaire.

Le métier que nous exercions, précise Dolly, n'était vraiment pas payant. Malgré les contraintes et ses inconvénients, nous l'aimions, il correspondait à nos tempéraments. J'étais une nomade sans le savoir. Il m'apportait une ivresse inconnue de la vraie liberté sans frontière. Je n'avais jamais éprouvé un aussi doux sentiment de me sentir libre et autonome. Intérieurement, j'admirais mon audace, mon esprit de fonceuse, ma témérité aussi, car il m'était impossible après quelques mois de tirer des conclusions de mon aventure. Cependant, mon intuition me disait ou un ange me soufflait à l'oreille que j'avais pris une bonne décision pour trois raisons majeures : je quittais le cocon familial pour devenir autonome ; j'apprenais un métier qui me permettrait de gagner ma vie ; et je réalisais un rêve, voyager sur les routes du monde. Mais le *facteur dominant était le fait que l'autonomie me permettait de conquérir quelque chose de précieux, ma dignité, sans laquelle aucun humain, petit ou grand, ne peut être heureux. La dignité, c'est l'aliment de l'âme. Malgré mon émancipation, je notais que je restais puritaine, rigoriste dans mon comportement et fort attachée à mes principes et convictions. On a beau courir les routes et rencontrer du monde bizarre, on en conserve pas moins les valeurs de son adolescence.*

***

On pourrait diviser la carrière de Dolly en quelques étapes importantes : l'initiation à partir de 1957 et l'apprentissage d'un métier exigeant ; une courte intrusion dans le domaine de la lutte de 1961 à 1963, sous la direction du promoteur Buddy Lee, son installation en Caroline du Sud et ses combats dans une trentaine d'États américains ; son retour à Québec en 1963, forcée de prendre un repos pour rétablir sa santé chancelante ; la consolidation de sa carrière avec son partenaire, devenu son conjoint ; ses voyages ininterrompus par voie de mer, de terre ou des airs ; sa contribution à l'émancipation et à l'autonomie des personnes de petite taille et, démarche prioritaire pour elle, l'élaboration d'un manifeste pour sensibiliser le grand public aux problèmes de son milieu et faire échec aux préjugés.

Chapitre 6

Un métier exigeant

À l'époque où Normande Gagnon devient Dolly Darcel et peaufine son spectacle avec Paul, son instructeur qui deviendra son conjoint et son inséparable guide durant cinquante ans, il existe une constellation d'étoiles mythiques dont les feux font rêver des millions d'admirateurs. Les monstres sacrés sont l'objet d'une véritable vénération. C'est un âge d'or pour ceux qui entament leur parcours dans un monde réceptif à la recherche de mythes vivants. Ces étoiles de la scène ont du charisme et un talent confirmé.

Gilbert Bécaud, Charles Aznavour, Yves Montand et Charles Trenet; Frankie Laine, les Crooners, Bing Crosby et Elvis Presley, chez les Américains, connaissent tôt des succès retentissants et brilleront dans le firmament des étoiles pendant un bon bout de temps.

Mais celle qui arrache des frissons, touche ses admirateurs au fond de l'âme et du cœur est incontestablement la grande interprète Édith Piaf. Le mot «piaf», mot argotique en usage au XVIe siècle, signale une personne qui sort de l'ordinaire et suscite l'étonnement par un atout exceptionnel ou un comportement inhabituel. Née Édith Giovanna Gassion (1915-1963), la môme Piaf possède une voix unique, rauque, vibrante; c'est l'archet magique parcourant les cordes d'un violon enchanté.

Ces géants de la scène dont l'histoire est amplifiée et embellie par l'imaginaire de leurs admirateurs entrent de leur vivant dans la légende, comme le font généralement tous les individus hors normes.

Dès son premier spectacle lors d'un festival, au début de juillet 1958 – sur la même scène où Murielle Millard donnait son tour de chant, à Saint-Hyacinthe –, et tout au long de sa très longue carrière, Dolly eut l'occasion de fraterniser avec tout ce que le Québec comptait de figures de proue d'ici et d'ailleurs dans le domaine du spectacle. Au cours de ses nombreux déplacements, elle pactisa avec de nombreuses sommités internationales et elle nous signale en passant l'immense contribution de Fernand Robidoux, journaliste, auteur et chanteur, qui s'efforçait par des activités diverses de réclamer – par le biais d'émissions radiophoniques, de galas et d'articles publiés dans les magazines et les journaux – un statut particulier pour les artistes québécois.

Après la Seconde Guerre mondiale, Fernand Robidoux – tout comme de nombreux compatriotes: Alain Grandbois, François Hertel, Félix Leclerc, Raymond Lévesque – va chercher en France, Mecque des créateurs (peintres, sculpteurs, écrivains, chanteurs, musiciens), une ambiance propice à son éclosion, freinée au Québec par des inquisiteurs vigilants. Francophone dans les moindres fibres de son corps, Fernand était convaincu qu'il y aurait un jour une place prépondérante pour ses compatriotes. Le temps lui donnera raison.

Les grands artistes que je croisais sur ma route se montraient très courtois avec moi, probablement parce qu'ils avaient un préjugé favorable pour ma petite taille, raconte Dolly, moqueuse. Ils me questionnaient, me manifestaient des égards, me traitaient comme si j'étais leur égal, c'est-à-dire au sommet. Grands par leur accessibilité, ils l'étaient aussi dans leur ouverture et leur gentillesse. J'aimais me trouver en leur présence. Aimables pour la plupart, ils ne cherchaient pas l'épate, mais un enrichissement personnel au contact des autres, une autre vision ou perspective de la vie. Sans doute tiraient-ils des leçons de mes propos enjoués et spontanés. Ils n'éprouvaient pas à mon endroit une curiosité malsaine ou déplacée, mais se montraient intrigués (en voyant mon spectacle) de découvrir que je portais des poids énormes. Avec mes 70 livres, ça les stupéfiait.

Un jour que je donnais un spectacle au Motel Lévesque, à Rivière-du-Loup (autrefois Fraserville), Gilbert Bécaud présentait le sien à l'aréna. Pendant ses heures de répit, il prenait ses repas à la salle à manger du motel, séparée de la salle de spectacle par une grande baie vitrée. Ce grand artiste me vit à l'œuvre, s'étonna de ma force musculaire, s'amusa de mes mimiques et pirouettes, et demanda à un garçon de me faire un message: il invitait à sa table notre troupe de huit personnes pour prendre un verre et bavarder. J'étais charmée – on le serait à moins. Il me questionna gentiment, s'enquit de mes projets, se montra affable avec Paul et me demanda si j'entrevoyais de me produire en France. À cette étape de ma carrière, Paul et moi envisagions plutôt les États-Unis comme base prochaine de nos activités, car nous avions des propositions intéressantes.

À l'époque, je faisais aussi des tournées avec la troupe de Nelly Tavara, chanteuse dont le poids oscillait entre 200 et 250 livres, ce qui ne l'empêchait nullement d'être vive comme un poisson sur scène et dans la vie courante, un véritable bâton de dynamite. Paul et moi ne cherchions pas la gloire, mais un moyen – le numéro que nous avions mis au point, mélange d'équilibrisme et de comédie – de gagner honnêtement notre croûte sans rien demander à personne. Vivre entre deux valises en n'ayant à Montréal qu'un modeste pied-à-terre, courir les routes sans entraves, sans avoir un boulet rivé à nos pieds était un mode de vie qui nous plaisait. Les travailleurs obligés de se plier à un horaire quotidien, de passer deux heures dans leur véhicule entre leur domicile et le bureau sont des héros qui s'ignorent. Ce type de routine oppressante peut démolir à la longue le moral le plus solide. Dans notre cas, nous étions des oiseaux sur une branche prêts à s'envoler et à revenir au nid pour y refaire le plein d'énergie.

Dans mon entretien avec Gilbert Bécaud, c'est un peu cette perspective que j'évoquai, ce qui l'amusa, car lui aussi, nous confia-t-il, planifiait sa vie dans ce sens-là, en dehors de ses engagements. Il me regardait avec des yeux chaleureux et me donnait l'impression qu'il me considérait comme une petite fille qui avait cessé de grandir pour étonner les autres. J'ai toujours aimé le contact avec les individus riches d'une belle expérience et capables de partager des valeurs humaines.

***

Les années 1960 virent émerger de beaux talents dans plusieurs créneaux artistiques. Après trois ans à bourlinguer sur les scènes européennes, le poète et chansonnier Félix Leclerc était devenu lui aussi un monstre sacré et adulé, d'abord par les Français, plus tard par ses compatriotes. Lui-même se dira surpris de son succès. « Avant, je chantais exactement de la même façon pour des petits groupes sans être porté aux nues; je n'ai jamais changé ma manière de chanter, et voilà que l'on m'acclame comme si je n'avais pas existé avant», commente-t-il.

Découverte par Roger Miron, Claude Valade – au début d'une ère appelée la Révolution tranquille – se fit d'abord remarquer au Café Saint-Jacques, immeuble de François Pilon, rue Sainte-Catherine, lequel abritait plusieurs petites salles de spectacle. Sa jeunesse radieuse, ses cheveux blonds décorant un visage frais et mutin, sa voix mélodieuse la firent aimer d'emblée par les spectateurs. «Je me pâmais lorsqu'elle chantait *Les moulins de mon cœur* ou *C'est beau la vie*. Elle m'accrochait. Je l'ai toujours aimée pour son naturel, sa spontanéité et ce petit quelque chose indéfinissable qui fait les grandes vedettes», confesse Dolly.

***

Aussi souvent que nécessaire, Paul variait le menu du spectacle. Suzanne et Mona furent pour lui de bonnes partenaires, mais il modifiait le numéro pour le rendre plus attrayant.

Ceux qui nous avaient vus une ou deux fois à l'œuvre appréciaient le changement. Nous gardions le même rythme, le même enthousiasme, mais nous ajoutions constamment au spectacle des éléments nouveaux: clowneries, vaudeville, pièces théâtrales simples, souvent improvisées et comiques. Ce côté espiègle, facétieux, drolatique, imaginatif m'allait comme un gant. Je me laissais aller au gré de ma fantaisie. Pas de règle du jeu ni de longue préparation, mais de la spontanéité, du naturel qui fuse sans effort. Je me débrouillais passablement bien dans ce rôle où les mimiques valent cent mots, dit Dolly, dont le visage est le miroir fidèle de ses pensées, qu'elle a d'ailleurs du mal à cacher.

Nos numéros de vaudeville complétaient la phase acrobatique, enchaîne-t-elle. Et nous pouvions compter, le cas échéant, sur des artistes vraiment doués, dont Farah, danseuse de ligne, acrobate, contorsionniste et souffleuse de feu, la seule femme au Québec qui allumait une douzaine de cigarettes avec la flamme jaillie de sa bouche et qui pouvait incendier l'hôtel Le Reine Elizabeth en crachant une colonne de feu spiralée tournoyant comme une toupie.

Grande, brune, mince, élégante, souple et forte comme une amazone des temps antiques, Farah en imposait avec sa taille de 1,72 m et ses 61 kg moulés dans un costume qui mettait en évidence des atouts majeurs, dont une silhouette découpée par un sculpteur amoureux des lignes. On aurait pu la prendre pour une Égyptienne, une Eurasienne, une Italienne du Nord bon style, ou encore, spéculant sur sa peau sombre et sa chevelure flamboyante, pour une Latino-Américaine de vieille descendance espagnole. Elle n'était rien de tout cela.

Née en 1943, alors que la Seconde Guerre mondiale battait son plein, Farah vécut son enfance et son adolescence à Bagotville, zone militaire du Lac-Saint-Jean desservie par un aéroport, aujourd'hui fusionnée à la municipalité de La Baie. Son père, Joachin Fortin – un *jack-of-all-trade* (un touche-à-tout) –, tantôt menuisier, tantôt policier ou gardien de prison –, avait épousé Marguerite Émond, de santé fragile. Cette brave femme mourut prématurément à 41 ans.

C'est chez les frères Monette, fabricants de joyaux qui tenaient un commerce – Les Créations Pierre, rue Sainte-Catherine, à Montréal –, que Farah, future Jaclyne Denis, soudait des bijoux dans un petit atelier de cette boîte fort connue au début des années 1950. L'un des frères Monette, Denis, devenu un écrivain à la mode, discutait souvent avec sa jeune employée, trouvait qu'elle possédait un physique et une personnalité pour être autre chose qu'une mécanicienne du bijou. Déjà, à cette époque, Denis aimait les scénarios romanesques. De fil en aiguille, Farah s'inscrivit dans une école de mannequin, se fraya un chemin dans ce domaine tortueux et adopta finalement le spectacle comme moyen d'expression, milieu plus conforme à ses désirs et à ses talents multiples.

Si Paul possédait un étonnant équilibre, Farah se servait de son corps avec une merveilleuse adresse, relate Dolly. Imaginez un instant que mes petites jambes supportaient sans fléchir les poids combinés de deux partenaires de bonne taille, soit près de 300 livres. Farah avait un instinct incroyable pour répartir sa charge, si elle sentait vaciller mes genoux; elle se déplaçait avec la vivacité d'une gazelle pour rééquilibrer et harmoniser son poids avec celui de Paul. C'était là un tour de force que j'enviais, car nonobstant nos pratiques, j'avais mes limites.

Les multiples anecdotes qui parsèment le parcours de Paul et Dolly, les alliances provisoires avec d'autres artistes, les triomphes passagers sur des scènes diverses, avec des clientèles hétéroclites, formeraient à eux seuls un gros cahier révélateur des joies et des peines des artistes ambulants, des hauts et des bas, des moments de désarroi, car le monde du spectacle recèle souvent des surprises plus ou moins agréables.

Certains agents promettaient plus qu'ils ne donnaient, de dire Dolly, mais nous avons su composer avec les fausses promesses et nous accommoder du meilleur. Nous n'étions pas, Paul et moi, très exigeants sur les cachets. Nous avions la chance de pouvoir travailler sans répit. Comme nous n'avions pas d'enfants, notre disponibilité était totale. Le jour où je fus enceinte de Paul, en 1971, il y eut entre lui et moi une profonde réflexion. La question: allais-je le garder ou me faire avorter? Je ne me voyais pas courir les routes avec un bébé dans nos bagages, quitter une ville pour en gagner une autre, nourrir mon nouveau-né et changer les couches entre deux spectacles. Je ne voulais pas abandonner ma carrière à un moment crucial et j'étais torturée par une décision que je devais prendre avant qu'il soit trop tard. Comme ma foi était profonde, tout mon être se rebellait, mais avais-je le choix? Je ne voulais pas d'un enfant ballotté par nos incessants déplacements et élevé dans des chambres de motel et d'hôtel. Ce n'était pas humain. Le cœur torturé, j'allai voir un spécialiste à New York, car les médecins du Québec se cachaient pour pratiquer un avortement. Il me fallut un peu de temps pour me remettre de cet impact émotif, mais je crois sincèrement, dans ma vie de nomade, que cette décision fut la bonne.

D'autre part, comme les différences physiques entre Paul et moi étaient visibles, beaucoup de mes amis et connaissances se demandaient quels étaient nos rapports amoureux, curiosité bien naturelle lorsqu'il s'agit d'une naine et d'un homme de taille normale.

Je dois confesser que, si nous avions de la tendresse l'un pour l'autre, je n'éprouvais pas un irrésistible besoin de sexe, pas plus que mon partenaire, fort entiché de sa beauté physique, très narcissique dans son comportement quotidien, il passait sept jours par semaine à modeler son corps et à parcourir des magazines spécialisés pour atteindre la perfection.

Nos ébats restaient exempts de folle passion. Nous avions parfois un désir commun de nous étreindre, mais Paul, trop épris de lui-même, n'avait rien du passionné ou du don Juan romantique qui escalade les balcons pour apporter des fleurs à sa belle. Sa relation avec moi me convenait parce qu'il avait beaucoup de respect pour ma petite personne. Je n'en demandais pas plus, la sexualité débridée n'était une priorité ni pour lui ni pour moi. Je me contentais de savourer les excitations passagères sans demander à Paul ce qu'il était incapable de donner.

***

Les années passaient. La télévision de Radio-Canada fournissait désormais aux artistes une plate-forme unique pour se faire connaître, une fenêtre sur une réalité saisissante : l'image en direct. Les téléromans, ces feuilletons interminables qui mobilisaient des soirées entières les téléspectateurs rivés à leur écran, apportaient une manne inespérée aux comédiens et aux gens de scène. Avec le son associé à l'image, la télévision fit entrer les Québécois dans une ère nouvelle, celle de l'instantanéité et de l'éphémère. Son pouvoir englobant déferla telle une vague puissante, provoquant un déblocage mental et une crise d'identité. La révolution culturelle précédait la Révolution tranquille de Jean Lesage. Ce que la radio ne pouvait faire, limitée à la voix des animateurs, la télévision le fit, subtilisant à son profit presque tout le domaine des loisirs.

Fondé dix ans plus tard, le canal 10 (Télé-Métropole, rebaptisé TVA) allait à son tour entrer en scène avec une formule plus populaire. Peu à peu, il s'empara progressivement du *show business* et détrôna sa grande rivale, la télévision d'État.

Et c'est dans ce temps fort d'une lutte entre deux géants de l'image que Dolly reçut une proposition ferme du promoteur Buddy Lee pour entreprendre une carrière de lutte aux États-Unis.

CHAPITRE 7

Dolly dans l'arène de la lutte

Au moment où Dolly entreprend une courte carrière de lutteuse aux États-Unis, les années 1960 s'ouvrent dans la frénésie irréversible et contagieuse du dépoussiérage et de la volonté populaire d'opérer un changement de cap radical. Jusque-là repliée sur elle-même, engluée dans des habitudes qui ont la vie dure, la société québécoise fait voler en éclats ses vieilles structures. Pour employer une expression populaire, « le diable est dans la cabane ». Dans tous les domaines, c'est la ruée vers « le début d'un temps nouveau », comme le proclamait un refrain en vogue.

En ce temps de grands bouleversements des institutions remises en question, Dolly avait obtenu de l'entreprise Bosco un contrat alléchant pour véhiculer l'image de la Coupe Grey, un événement sportif très explosif au Québec par son tapageur exhibitionnisme.

Je dus me rendre à Vancouver – mon baptême de l'air, précise-t-elle – pour mettre au point avec une agence de publicité les conditions de mon contrat et le rôle que je jouerais au cours d'une campagne publicitaire de deux semaines au Québec. On me déguisa en Teddy Bear (ourson), et c'est dans ce costume que les organisateurs me firent défiler dans les rues de la métropole à bord de mon propre char allégorique, expérience qui se poursuivit dans la vieille capitale et se termina là. Cette participation me plut, car la seule chose que je devais faire était des cabrioles, exécuter toutes sortes de mouvements vifs auxquels se prêtait ma petite taille. Hélas! j'aurais aimé jouer ce rôle durant des années, tant il me plaisait, mais Bosco ne renouvela pas l'expérience. D'autre part, une proposition inusitée et alléchante vint modifier le cheminement de notre itinéraire. Le nouveau contrat stipulait que nous devions nous expatrier aux États Unis, en Caroline du Sud, pour plusieurs années à venir.

***

Dans la périphérie de la Main (rue Saint-Laurent) englobant la grande artère Sainte-Catherine et les rues avoisinantes, les fins de semaine étaient marquées par une turbulence inhabituelle. Les Montréalais prenaient d'assaut les cabarets pour voir un spectacle et prendre un verre avec des amis.

Le cabaret Rialto affichait Paul et Dolly à son enseigne frontale lumineuse, de même que d'autres artistes connus des noctambules. Les cabaretiers promettaient des *Nuits de Montréal* épicées, mais les audaces des marcheuses[9] restaient dans les limites de la bienséance. Dans la salle, il y avait presque toujours, tapi dans un coin, vêtu en civil, un policier de la moralité prêt à intervenir si une diablesse en montrait plus qu'il ne le fallait.

Habitués au rituel des cabarets, Paul et Dolly donnèrent leur spectacle sans anicroche, notant que trois individus de forte taille, assis près de la scène, les épiaient avec une intensité presque agaçante. Leur spectacle terminé, les deux artistes se demandaient qui pouvaient être ces armoires à glace, lorsque l'un d'eux, un type costaud dans la famille des gorilles humains, les accosta sans plus de préambule.

«Je suis Buddy Lee.» Il regardait Paul et Dolly avec bienveillance. «J'ai vu votre numéro. Pas mal du tout. Ça me plaît. Je cherche une naine. On peut se parler? demanda-t-il en anglais.

— Pas de problème», dit Paul.

---

9. Les marcheuses sont des figurantes muettes dans le music-hall.

Dolly ne maîtrisait pas encore la langue de Shakespeare, mais elle devinait qu'il y avait dans l'air une proposition de bon augure.

Retiré à l'écart, Buddy Lee parla à cœur ouvert. D'origine italienne, ce n'était pas un aventurier, mais un vrai gérant d'artistes. Il fit de lui-même un portrait flatteur. Il avait, un moment, géré les carrières de Ray Charles, Johnny Cash et même Elvis Presley, et monté dans plusieurs États américains de très gros spectacles. Mais depuis qu'il dirigeait une école de lutte à sa base de Caroline du Sud, il était à la recherche de lutteuses naines, pour lesquelles il avait une grande admiration, car elles donnaient des prestations spectaculaires.

Buddy promettait beaucoup et affirmait que, grâce à lui, les femmes pouvaient lutter dans les arénas, distraction alors interdite au Québec et dans plusieurs villes américaines, les censeurs affirmant que la lutte entre femmes qui s'empoignaient consistait surtout en un étalage disgracieux de sexe susceptible non pas de divertir, mais de réveiller les passions sauvages des mâles. Il s'agissait là, bien entendu, d'un jugement purement téméraire formulé arbitrairement par des puritains.

S'étant longuement expliqué sur la nature de son voyage à Montréal, Buddy Lee énuméra toutes les commodités qu'il mettait à la disposition de ses élèves : logement gratuit à proximité de sa salle d'entraînement, bon environnement, tournées à travers les États-Unis, rencontres de grandes vedettes, soulignant même la chance qu'ils avaient d'être remarqués un jour par un producteur hollywoodien. Tout devenait possible. Il faisait un pont d'or à Dolly, précisant que Paul, déjà connu comme lutteur, pourrait facilement trouver du travail par son entremise et se faire un nom au pays de l'oncle Sam.

C'était grisant. Quelle aubaine ! Une occasion sans pareille et du travail à longueur d'année. Buddy Lee prit les coordonnées du couple Paul et Dolly, leur laissa les siennes et, avant de prendre l'avion pour retourner chez lui, refit la liste des avantages et s'écria, dans un moment d'enthousiasme : « Avec Buddy Lee, on prend le bon train, on descend à la bonne gare, et l'on devient une vedette. »

Au premier abord, raconte Dolly, il avait l'air sincère. Il nous inspirait confiance, d'autant plus qu'il disait avoir géré les carrières de grands artistes. Dans sa présentation, ça sonnait bien. «Si vous acceptez mon offre, vous allez voyager et rencontrer des tas de gens célèbres qui ont débuté avec moi», affirmait-il avec aplomb et conviction. Nous n'en doutions aucunement. Mais ce que je retenais de ses propos, c'était le mot «voyage». Voyager, partir, découvrir d'autres rivages. Paul ne se faisait pas prier pour faire ses valises. Il aimait la route. Cependant, tout quitter brusquement pour un ailleurs incertain exigeait un temps de réflexion. Il me laissa libre du choix que nous devions faire, pourvu qu'il trouve du travail en Caroline du Sud, ce que lui avait promis Buddy Lee, jurant sur la tête de tous les saints qu'il ne chômerait pas longtemps. Bref, en pesant bien les avantages et les inconvénients, nous décidâmes de transporter nos pénates aux États-Unis, avisant le promoteur que nous serions là à la date promise.

Le complexe sportif de Buddy Lee comprenait, outre sa maison particulière, des dépendances, un gymnase – ou école de lutte – où ses élèves pouvaient se loger, une cantine modeste pour prendre ses repas, bref, rien de fracassant. Le promoteur avait décrit son installation en des termes dithyrambiques, mais la réalité était moins flatteuse.

Une fois sur place, quand nous fûmes installés au quartier général de notre promoteur, je sus que je ne pouvais du jour au lendemain monter dans l'arène sans une longue préparation. «Combien de temps cela prendra-t-il?» demandai-je à M. Lee, car il ne m'avait pas informée, lors de notre rencontre à Montréal, des contraintes qui me seraient imposées. «Au moins six mois. C'est un métier dangereux.» Il m'expliqua que je devais connaître tous les trucs, toutes les astuces pour ne pas être blessée dès le premier combat. Il était impératif de jauger l'habileté de l'adversaire, de connaître la manière de se comporter dans un engagement, de pouvoir mesurer et absorber l'impact d'un coup, bref, tout ce qu'il fallait savoir pour s'en sortir sans récolter trop de bosses. Je savais pas mal de choses à propos de la lutte entre nains, sans jamais avoir eu une part active à un combat. Little Beaver et Sky Low Low étaient des amis, et c'est par des pratiques rigoureuses qu'ils parvenaient à éviter *des blessures sérieuses. Comme je suis naine, mes entraîneurs, de taille normale, devaient se mettre à genoux et à ma hauteur pour m'enseigner une prise.*

Dans la lutte professionnelle, rien n'est épargné par les belligérants pour donner l'impression aux spectateurs que ce n'est pas du chiqué. L'aire de combat, les prises de bras et de tête, les renversements, les ciseaux de jambes, la façon même de retomber en frappant le tapis, les feintes, les sauts et les culbutes sont des pièces de théâtre soigneusement réglées. Un lutteur malhabile peut en blesser un autre, et un poids plume ou mouche est en état d'infériorité s'il se retrouve dans l'arène avec un poids moyen. Dans ce sport devenu un spectacle, les méchants ne blessent pas les bons, sauf occasionnellement, car toute carrière de lutteur serait impossible – du moins longtemps – sans une prévention ordonnée et calculée. Les spectateurs ont raison de penser que la lutte professionnelle est « arrangée avec le gars des vues », pour utiliser une expression populaire, mais sans les artifices et un code partagé entre les combattants, ce serait un pur massacre, comme ça pouvait l'être à l'époque des gladiateurs.

Six mois d'apprentissage sans salaire représentaient pour Dolly un premier combat pour sa dignité, car ses économies fondaient à vue d'œil. Enfin, Buddy Lee jugea qu'elle était prête à monter dans l'arène. À Columbia, elle donna à la télévision un spectacle haut en couleur et entreprit peu après une tournée dans une trentaine d'États américains.

Je ne peux pas dire que la lutte me fascinait vraiment. C'était pour moi une expérience nouvelle. On m'opposait des lutteuses naines plus costaudes et plus grandes que moi, de sorte que les risques de blessures graves augmentaient. Alors que mon poids oscillait autour de 70 livres, je devais affronter des adversaires beaucoup plus lourdes, et ça représentait un danger pour moi – ce que le promoteur savait, mais un bon combat lui rapportait gros. Ma santé se ressentait de ces incessants déplacements à travers les États américains, et je crus le moment venu de tout quitter, de me rendre à Saint-Félicien pour une halte bien méritée et de consulter un médecin. Ce dernier me signala que je souffrais d'une dilatation de l'estomac. Il se montra clair et précis : « Si vous continuez ce métier-là, c'est à vos risques et périls. » Je compris son message. Comme je ne pouvais mettre un terme à mon contrat, j'obtins une lettre de mon médecin dans laquelle il m'ordonnait de prendre un repos complet pour une période indéterminée. Avec ce passe-partout, j'abandonnai la lutte, au grand déplaisir de M. Buddy Lee.

Ayant consacré trois ans de ma vie (1961-1963) à un sport peu payant – 75 $ par semaine, plus les repas et le logis, avec tous les risques inhérents à ce métier de casse-cou –, j'en vins à la conclusion, craignant d'être estropiée par des adversaires plus grandes et plus lourdes, que je prenais une sage décision. Quant à Paul, toujours aux États-Unis, il respecta tous ses engagements et revint au Québec quelques semaines plus tard.

Les beaux hôtels et les motels luxueux ne confèrent pas la sérénité à ceux qui les fréquentent, encore moins la satisfaction d'accomplir vraiment quelque chose d'utile. Avant de monter dans le bateau de la lutte, j'aimais ce que je faisais. Dans un spectacle, j'excellais toujours, sans craindre les blessures. Paul et moi étions les maîtres du jeu. Dans la lutte, ce n'était pas pareil. Les lutteuses naines étaient des rouages d'une grosse machine contrôlée par des hommes d'affaires chez qui l'appât du gain était sans limites.

À l'été de 1963, lorsque je foulai à nouveau le sol du Québec, je me sentis soulagée et décontractée. Si quelqu'un m'avait demandé à ce moment-là de lui faire le récit de mes trois années aux États-Unis, j'aurais été bien embêtée, car à part les hôtels, les motels et les restos, je n'avais rien vu ni rien retenu de mes déplacements chez nos voisins, sauf que la trépidation – entre les préparatifs, l'arène et le motel – nous laissait peu de temps pour apprécier les choses normales.

Dolly a cependant vécu un fait insolite et inhabituel dans l'une des îles d'Hawaï (Hilo) où elle se trouvait, en 1962, avec une compagne d'Honolulu, Baby Chery.

Soudainement, le temps se gâta. De gros nuages gris obscurcirent le ciel et le vent, jusque-là mou, se durcit et courba la cime des arbres.

On eût dit que la nature luxuriante se tassait sur elle-même pour amortir l'impact d'un raz-de-marée, énorme vague qui risquait de balayer la petite île. Certains parlaient d'une éruption volcanique sous-marine, d'autres d'évacuation et certains, pris de panique, prenaient des dispositions pour quitter une île menacée par une vague géante qui allait tout écraser sur son passage. Alertée par ce va-et-vient inquiétant, ne sachant trop ce qui se passait, Dolly réveilla sa compagne. Que se passait-il?

C'est dans le hall de l'hôtel que nous sûmes la vérité. Le lutteur hawaïen responsable de notre tournée aboya: «Faut évacuer, on fiche le camp!» Pour aller où? Lui-même l'ignorait, et il se montrait plus occupé à sauver sa peau que celle des autres. À ce moment critique, la nôtre ne pesait pas très lourd dans sa balance. Partout, des gens s'enfuyaient avec des couvertures et d'autres objets utilitaires. Inconsolable, la propriétaire de l'hôtel pleurait à chaudes larmes, et son fils essayait de la réconforter. La situation était critique, personne ne riait, et l'on voyait sur les visages la peur de ne pas être évacué à temps. Peu habituée à ce genre de cataclysme naturel, j'étais probablement la seule à garder mon sang-froid. Les minutes parurent des mois. Plus le ciel se noircissait, plus grandissait l'inquiétude, lorsque le pilote – celui-là même qui devait nous mener en sécurité et sonner le branle-bas – revint nous voir avec une bonne nouvelle: le vent avait changé de cap et le raz-de-marée, à 25 milles de notre île, fonçait vers une autre destination. Ouf! soulagement. Chacun regagnait ses pénates en se demandant ce que pouvait bien cacher ce chapelet d'îles pittoresques et luxuriantes soumises aux caprices d'une nature incontrôlable. Pour ma part, ma méconnaissance de l'anglais aurait pu me jouer un sale tour, car je comprenais mal que tant de gens s'énervent pour si peu, paniqués et au bord de la névrose.

***

De retour au Québec, épuisée par d'incessants voyages et des combats de lutte professionnelle dans une trentaine d'États américains, Dolly se sentit soulagée lorsqu'elle posa le pied sur le sol québécois. Abîmée, dans un état proche de la dépression, elle se réfugia dans sa famille, à Saint-Félicien, seul havre de paix où elle pensait se refaire une santé et recharger ses batteries.

Durant un mois, elle renoua avec les lieux de son enfance, rencontra oncles, tantes, cousins et cousines, surprise de voir que sa petite municipalité conservait son calme champêtre sous le pavillon de l'ambitieux curé Égide Boivin (1953-1967), lequel avait mis en branle un vaste programme de restauration de l'église – une cathédrale en devenir –, invoquant une poussée démographique sans précédent. Le marbre rose importé d'Italie pour décorer le chœur et revêtir les murs coûta fort cher à la fabrique, qui n'avait pas les moyens de se lancer dans des dépenses somptueuses. Outre le déménagement du cimetière local jusque-là à proximité du presbytère, les administrateurs firent l'achat d'un terrain de 30 arpents du côté de la rivière à l'Ours pour le transfert des personnes inhumées, ce qui englobait les victimes de la grippe espagnole, jetées dans une fosse commune sans cérémonie dans un terrain vacant à l'époque de la tragique épidémie. En donnant carte blanche au curé, qui donnait les contrats et signait les chèques, les marguilliers ignoraient que les coûts des changements et améliorations grèveraient les économies de la fabrique.

Par rapport à la rigueur de son prédécesseur qui prêchait en faveur des grosses familles, Égide Boivin se montrait discordant et logique : pourquoi insister pour que les parents aient plus d'enfants qu'il ne le faut, s'ils n'ont pas les moyens de les loger et de les nourrir convenablement ? Sous le curé Boivin, plus avant-gardiste, un esprit nouveau laissait présager un changement des mentalités.

En retrouvant ma famille, j'appris que mon frère Philippe avait été blessé par un arbre qui lui était tombé dessus dans un camp de bûcherons, le 4 décembre 1959. Il se déplaçait en fauteuil roulant et ne marcherait plus pour le reste de son existence. Frappé à la tête, il était devenu un être amorphe sorti de la réalité. Le voir dans un état aussi lamentable me fit beaucoup de peine. Il n'avait que 40 ans et avant son accident, sa forte constitution et sa vitalité faisaient l'envie de bien du monde. Pauvre Philippe ! Pour avoir été à la mauvaise place au mauvais moment, il payait chèrement son dernier voyage en forêt. Je revis avec joie les membres de ma famille. Mon père vivait encore, mais je sentis chez lui beaucoup de lassitude, un certain détachement de la vie; peut-être avait-il entamé une longue réflexion sur son parcours. Son départ, en 1984, m'attrista beaucoup.

Nous avons d'abord trouvé un petit appartement sur la rue Boucher, que nous habitâmes durant deux ans. Après, nous fîmes le grand saut dans un autre pied-à-terre beaucoup plus grand sur la 2e Avenue à Rosemont, dans lequel, comme toujours, s'empilaient les boîtes; nous n'avions pas assez de temps pour les ouvrir, les contrats nous obligeant à reprendre la route. Nos valises étaient toujours prêtes, rarement défaites complètement. À moins que l'un de nous ne soit malade, nous ne refusions jamais un contrat. Paul honorait avec rigueur tous ses engagements, les bons comme les médiocres. Nous avions un sens très particulier de notre devoir d'artistes. Il ne nous serait pas venu à l'idée de briller par notre absence.

À Saint-Félicien, Dolly revit plusieurs de ses connaissances, étonnées par ses initiatives et son parcours professionnel dans le *show business*. Cela semblait incroyable que Normande Gagnon, ce petit bout de femme hier encore serveuse à l'hôtel de ses frères, soit devenue une artiste connue sous le nom de Dolly Darcel s'exhibant sur toutes les scènes québécoises et américaines. De grands placards publicitaires la montraient à l'enseigne des cabarets. Pourtant, alors qu'elle vivait à Saint-Félicien, personne n'aurait pensé qu'elle serait un jour acrobate et comédienne, en plus d'être lutteuse, métamorphose surprenante pour quiconque la croisait dans son rôle bien tranquille de gamine et d'adolescente plus intégrée aux Enfants de Marie qu'à l'univers turbulent du spectacle, un monde à part déconcertant pour le profane. Dans la peau de Dolly, Normande avait acquis une autre stature, une aisance, un aplomb qu'elle ne possédait pas au départ. Elle semblait avoir trouvé au fil de ses expériences sur scène une sorte d'assurance qui lui faisait défaut encore naguère alors qu'elle cherchait sa place dans le monde des grandes personnes. Grâce à Paul – et par le biais d'un métier captivant plein de surprises, d'inattendus –, elle s'était découverte au fil d'une carrière sur les routes de l'aventure. «Je suis l'ennemie de toute routine, clame-t-elle, du haut de ses trois pieds et dix pouces.»

La routine engendre une implacable monotonie, assèche l'imaginaire, développe une façon de penser et de voir les choses autrement que dans un rituel, toujours le même, sans implication de la volonté pour un effort particulier et donner libre cours à des initiatives heureuses.

Avant de quitter définitivement Saint-Félicien, de raconter Dolly, je me posais beaucoup de questions sur mon avenir. Si je n'avais pas eu l'esprit d'aventure et le goût d'aller voir ailleurs ce qui se passait, j'aurais probablement vécu toute ma vie dans le sillage de ma famille. Je m'y sentais en sécurité, dans une fausse sécurité, devrais-je dire, car nos frères et sœurs doivent organiser leur existence en fonction de leur réalité, et non de la nôtre. Si je n'avais pas bougé dans le sens de mes goûts, je serais encore là, sans avoir pu conquérir mon espace et mon autonomie. En réalité, la chance s'arrêta à ma porte avec la proposition de Paul Hébert, et je l'ai saisie au vol sans me préoccuper des conséquences à court ou à long terme. On n'a qu'une seule vie; je voulais vivre la mienne intensément, me débrouiller dans le monde des grands et me faire une place au soleil.

Chapitre 8

Dolly se découvre un don

Au fil des années, le monde du spectacle allait subir une métamorphose déroutante pour les artistes de l'époque des années 1960.

Avant la débâcle des boîtes de nuit, les gens du spectacle obtenaient d'emblée la vive sympathie et la complicité d'un public entiché de ses vedettes, lesquelles, pour un certain nombre, véhiculaient des valeurs d'émergence, d'affirmation et annonçaient un changement de cap en douceur d'une société jusque-là repliée sur elle-même.

À la faveur de la Révolution tranquille, les Québécois sortaient du cocon et s'offraient, dans un processus de revalorisation, une thérapie collective. En témoignaient plusieurs slogans, dont « Maîtres chez nous », « Demain nous appartient », « C'est dans la tête qu'on est beau » ou « On est six millions, faut s'parler ».

Les slogans de cette époque évoquaient la fierté et l'importance de s'affirmer, de se prendre en main, ils généraient parmi la population une ferveur sans précédent. Ces signes avant-coureurs d'un état d'esprit nouveau, d'une échappée vers des horizons neufs annonçaient une mutation irréversible.

Paul et Dolly avaient connu ce que les uns ont qualifié sans nuance d'âge d'or de la vie artistique au Québec, mais les choses se gâtèrent graduellement, les propriétaires de cabaret modifiant et ajustant graduellement la grille des variétés au goût du jour. De retour des États-Unis où ils sillonnaient les routes depuis trois ans – après une grande tournée avec les comédiens Jean-Pierre Masson et Andrée Champagne ainsi que Little Beaver, un phénomène dans la lutte –, ils réalisèrent que l'air du temps n'était plus le même.

En 1984, nous fêtions notre vingt-cinquième anniversaire de vie artistique et sportive, raconte Dolly. Nous avions été continuellement en tournée d'un bout à l'autre du Québec, ou encore à Toronto et dans sa banlieue. Nous donnions un spectacle remanié constamment. Paul et moi notions les changements qui s'opéraient dans les cabarets, envahis – pour un public de voyeurs – par des danseuses et des danseurs nus. Je ne me sentais plus à mon aise dans ce milieu. Ce glissement vers le sexe froissait mes convictions profondes. Non pas que je sois pudique à l'extrême, mais cet étalage grossier de fesses était plutôt dégoûtant que ragoûtant. Pour remplir leur établissement, les proprios misaient maintenant sur le voyeurisme et la bêtise humaine. Je me sentais déboussolée et, tout comme moi, Paul regrettait l'ambiance des boîtes d'autrefois alors que nous avions une belle connivence avec le public.

Dès lors, un spectacle pouvait facilement devenir une corvée plutôt qu'un plaisir. Dans ces auditoires de voyeurs friands de fesses, conquérir son public devenait problématique, sinon impossible. D'autre part, ajoute Dolly, il y a dans la vie d'un artiste un signal de départ. Il faut savoir s'en aller, prendre congé, jeter l'ancre sur d'autres rivages. Plus âgé que moi d'une dizaine d'années, Paul songeait, sans trop le vouloir, à prendre sa retraite, car on ne peut pas toujours, à plus de 60 ans, fournir les mêmes performances qu'à 20 ans. Pour ma part, je ne me voyais pas m'exhiber sur scène et faire des pirouettes à 70 ans. Un jour, peu après une dernière et pénible tournée, je pris la sage décision de réorienter ma vie. Non pas que je me trouvais vieille et en état de décrépitude. À vrai dire, dans mon esprit à moi, on n'est jamais vieux, on le devient par démission, par manque d'initiative, d'imaginaire et probablement aussi par l'absence de défis.

Dolly étant desservie par sa petite taille, on peut difficilement imaginer qu'il y ait chez elle autant de détermination, ce qui revient à dire que vaillance et courage ne se mesurent ni à la taille ni au poids.

À l'âge de 16 ans, Normande Gagnon, de Saint-Félicien, avait l'air physiquement d'une poupée de porcelaine qui pouvait se briser au moindre choc. À 50 ans, elle n'avait pas changé physiquement : toute menue, fragile d'apparence, les traits délicats, forcément soumise aux maladies associées au monde du nanisme. Personne n'aurait parié sur sa réussite éventuelle dans l'arène des grandes personnes. Analysant son parcours, Dolly attribue son émergence à quelques éléments-clés et à son caractère foncièrement combatif.

J'avais de la volonté, de la persistance dans tout ce que j'entreprenais, un esprit de suite, le désir de bien faire. Lorsque j'ai demandé à mes frères de travailler, à 16 ans, et de jouer le rôle de serveuse à leur hôtel, je voulais seulement m'affirmer, démontrer que j'étais apte à trimer comme n'importe qui, malgré ma petite taille. Bien sûr, les obstacles étaient nombreux, mais les vaincre fut toujours pour moi un stimulant. Je ne savais pas à ce moment-là, dans ma première expérience de travail, pourquoi je voulais surmonter psychologiquement toutes les difficultés, grandes ou petites, mais je découvris plus tard qu'elles furent utiles pour la discipline; selon moi, toute réussite personnelle, sociale et professionnelle repose sur une règle du jeu prioritaire : la discipline.

Je recherchais aussi l'estime des autres. De tout cœur, je désirais qu'on ne me juge pas à ma taille, mais sur des actes concrets. Je n'étais pas du genre à me laisser vivre, à m'esquiver pour fuir l'effort, à attendre que la manne tombe du ciel. Au départ, je n'avais pas de but défini, seulement la ferme volonté de me rendre utile aux autres et de me prouver à moi-même que j'étais capable. Dans mon concept de vie et dans mon esprit, je ne geignais pas sur mon sort à longueur de journée. Je refusais ou je repoussais toute pensée négative, un poids qui freine notre évolution individuelle et tue la confiance en soi. Par instinct, décortiquant la démarche de ceux et celles qui m'entouraient – frères, sœurs, parents, amis et connaissances –, j'acquis la certitude que pour tout individu, homme ou femme, ce sont les pensées positives qui font la différence, la volonté détermine le reste.

Malgré mon handicap, je me suis toujours sentie en harmonie avec mon milieu et les événements. J'ai regardé le monde avec confiance sans essayer de le disséquer ou de le changer. Mon but ultime était de me changer moi-même. Je me disais que la recette gagnante consistait simplement à besogner, à communiquer dans la joie, à savoir rire et à ne rien dramatiser. Jeune, je m'appliquai à développer une attitude active, positive, misant sur mes qualités plutôt que sur mes lacunes. Je développai également d'autres atouts, dont celui très précieux de la ponctualité, une qualité qui se perd. Bref, je ne me disais pas à tout bout de champ que j'étais faible et petite, mais forte et importante. J'avais un rôle à jouer à différentes étapes de ma vie. J'ignorais lequel, mais au fond de moi-même, j'étais prête à saisir la chance lorsqu'elle serait à ma portée. Quand? Toute ma vie, je fis confiance à ma bonne étoile, car tout individu en possède une.

Dans cette réflexion sur elle-même, Dolly démontre beaucoup d'à-propos et de sagesse. Si les ressorts de la volonté ont joué en sa faveur, son enthousiasme n'a jamais cédé sous la pression des difficultés semées sur son parcours. Pour elle, se croire grand, c'est déjà l'être. Elle précise aussi que la foi, la bonté et l'amour furent ses armes conquérantes.

Toujours soignée, vêtue de chics manteaux faits spécialement pour elle, coiffée avec soin et portant gants chics et souliers stylisés, à sa mesure, cette septuagénaire bon ton ne cache pas sa coquetterie. « Après tout, je suis femme et il ne me viendrait pas à l'idée de sortir toute débraillée, vêtue comme *la chienne à Jacques* », badine-t-elle.

Elle a du bagout, déborde d'optimisme, aime afficher ses couleurs. « Qui m'aime me suive ! » semble-t-elle dire. Du dehors, son miroir lui renvoie l'image d'une femme en harmonie avec elle-même et les autres. Elle se décrit comme peu compliquée. Bohémienne par vocation. Comme artiste, elle a franchi des milliers de kilomètres, habitant plus longtemps dans sa Dodge campeur que dans le pied-à-terre qu'elle occupait avec Paul, lors de ses séjours à Montréal.

«J'ai été habituée à une liberté sans contrainte. Rien n'est plus merveilleux que de se sentir libre», dit-elle, se remémorant le temps où elle vivait pleinement son aventure. Du même souffle, Dolly avoue n'être pas une femme d'intérieur. Remuante, curieuse, socialement très entourée par ses proches et ses amies, elle manifeste une vitalité qui reste intacte. Le rythme de vie de cette active septuagénaire dont le visage a peu vieilli est étonnant. Alerte, vive et enjouée, elle symbolise pour les siens – les gens de petite taille, comme elle se plaît à les appeler – un modèle à imiter.

***

En 1987, décidée à changer son parcours, à quitter définitivement la scène sans pour autant se mettre à la retraite, Dolly envisagea de tirer son épingle du jeu avec la cartomancie, ou divination. Elle aimait les cartes. Passionnément. Si elle y lisait les événements à venir, son intuition la guidait, servait ses fins. Bien avant qu'elle en fasse un métier, des amies, la sachant très intuitive, lui demandaient souvent d'interpréter dans les cartes ce que l'avenir leur réservait. Elles disaient et répétaient que Dolly avait un don, une aptitude innée pour des messages annonciateurs de joies, de surprises ou encore de malheurs. Les cartes disent beaucoup de choses non vérifiables, mais c'est surtout – en ce domaine comme dans beaucoup d'autres – l'intelligence intuitive qui alimente au premier coup d'œil la nature divinatrice d'un individu.

Si certains hommes – très rares et que l'on retrouve chez les grands mystiques – ont développé une dimension intuitive étonnante, les femmes ne donnent pas leur place, démontrant dans certains cas un haut degré de perception. Toute intuition a un caractère de découverte.

Au départ, dira Dolly, j'étais loin de penser que j'avais un don. Par ma seule nature, je pressens ce qui ne va pas chez mon vis-à-vis. Ma sensibilité extrême me permet de décoder au passage les réactions fugitives et inavouées de ceux qui me parlent. À l'automne de 1987, après des vacances en Floride et ma rupture avec le *show business*, je me suis rendue au gros marché aux puces qui se trouvait à l'angle des rues Notre-Dame et Papineau. Je voulais y louer un kiosque et exercer, d'octobre à décembre de la même année, mon nouveau métier de cartomancienne. Je dois dire que ces trois mois furent un succès qui m'émoustilla et me persuada que je devais prospecter plus à fond ce filon. Paul ne voyait pas tellement d'un bon œil ma nouvelle orientation.

« Tu en prends trop! me disait-il, invoquant les tournées que nous avions encore à notre agenda.

— Paul, quand tu seras à la retraite, dans peu de temps (quinze ans nous séparaient), je ne veux pas croupir à la maison à regarder la télévision. Tu ne vas pas me reprocher de construire maintenant mon autonomie future. »

Il maugréait un peu mais savait que ma décision était irrévocable. J'ai toujours éprouvé beaucoup de fierté à ne dépendre que de moi.

Cette étape de la vie de Dolly est importante, car elle fit émerger ses qualités de débrouillardise et d'organisation. D'autre part, son nouveau métier lui offrait l'occasion de se faire des contacts personnels, de communiquer de vive voix et intimement avec ses clients, ce qu'elle ne pouvait faire sur la scène d'une boîte de nuit où les rapports sont distants, froids et impersonnels. Dolly envisageait en 1988 de réintégrer son kiosque, mais les propriétaires du marché aux puces fermèrent leurs portes durant trois mois pour réaménager les lieux – décision suicidaire en commerce –, avec le résultat que le succès escompté pour la réouverture s'avéra un désastre, la clientèle s'étant dramatiquement tarie au bénéfice des concurrents.

Cette fermeture imprévue m'affecta un moment, mais il en fallait davantage pour me démotiver. Dans l'intervalle, Paul et moi mîmes au point une grande tournée à Toronto et dans ses banlieues, pour finalement ne donner nos spectacles qu'à des clientèles de voyous. Nous étions plus largement payés – environ 2000 $ par semaine pour présenter six spectacles par jour, de midi à minuit. À ce rythme d'enfer, forcée d'adopter un système alimentaire déréglé qui endommageait ma santé, je me demandais si ça valait la peine de continuer dans cette voie. À vrai dire, avoue Dolly, j'avais perdu la petite flamme que les uns appellent le feu sacré. M'exhiber pour des auditoires de voyous ne m'intéressait pas. Je me disais aussi que Paul et moi, vieillissants, nous n'aurions plus les attributs ou les atouts de notre jeunesse, et notre numéro s'en ressentirait. Partir me semblait la solution raisonnable, d'autant plus que mon conjoint était tout près de la retraite.

Dolly était résolue à faire de son mieux dans la cartomancie, art de la divination qui s'exerce dans le même esprit que ses proches cousines : l'astromancie, le sortilège, le songe, la chiromancie, la cabale, l'occultisme, etc. Au Moyen Âge, les disciples de la divination, loin d'avoir la vie aussi belle que de nos jours, étaient accusés de comploter avec le diable lui-même pour pervertir les esprits. Autres temps, autres mœurs.

Dolly trouva à Carignan, petite municipalité historique érigée en bordure de la rivière Richelieu – l'autoroute des Iroquois à l'époque de Champlain –, un autre marché aux puces prometteur fréquenté par une clientèle hétérogène de la région et des villes environnantes.

Si une connaissance me demandait à tout hasard à quel moment je songeais à prendre ma retraite – comme si nous avions l'obligation de la prendre –, cette question me crispait, m'horripilait. Pourquoi prendre sa retraite quand on a envie de travailler? Je suis une femme de public. J'aime l'action, le mouvement, le frissonnement. Paul aussi avait d'abord longuement insisté pour que je la prenne, mais j'avais remis les aiguilles à l'heure. Pas question! Je louai donc un kiosque où j'étais présente trois jours par semaine, de 9 h le matin à 5 h le soir. Paul venait me reconduire et me chercher à mon travail.

Dès le départ, tout fonctionna rondement. J'aimais l'ambiance. Dans l'ensemble, une clientèle disparate, curieuse et sympathique fréquentait les lieux. Mon kiosque était identifié par une grande peinture de moi-même. J'occupais un endroit stratégique et chaque jour, entre quatre et six personnes venaient me consulter, relate Dolly, égrenant ses souvenirs, tantôt riant à gorge déployée, tantôt pleurant sous le coup d'une émotion trop forte. En moyenne, je leur consacrais individuellement une trentaine de minutes, mais parfois les circonstances m'obligeaient à étirer cette période de temps. Dans les questions et réponses, la gamme des sentiments ne se mesure pas. La cartomancie, c'est un peu le confessionnal des émotions et de demandes souvent farfelues. Un jour, une femme se planta devant moi et me dit sur un ton impératif:

«Toi, trouve-moi un mari!

— Je tire aux cartes, je ne fais pas de miracles», répondis-je, essayant dans mon ton de ne pas alimenter son courroux bien visible.

Je lui adressai quelques bonnes paroles, et elle rentra les griffes. Les cartes ne solutionnent pas les problèmes conjugaux, explique Dolly, pas plus qu'elles ne trouvent la clé pour soulager les maux courants de la vie. Les cartes annoncent de possibles événements, signalent des présages, bons ou mauvais, sans pour autant que ce soit des certitudes.

À une autre occasion, poursuit Dolly, un homme qui voulait tuer sa conjointe et qui était sur le point de la quitter pour une autre femme me demanda de lire dans les cartes pour voir si elles contenaient des messages de bon augure. J'entamai le rituel et lui dit après un moment: «Monsieur, vous avez deux enfants, et la femme avec laquelle vous envisagez de refaire votre vie ne vous convient pas. Vous faites fausse route. Vous devriez reconsidérer votre décision.» Il me regarda, sidéré que je lui dise qu'il avait deux enfants – ce qui était vrai –, et me quitta en m'assurant qu'il ne prendrait pas une décision à la légère. Comme cartomancienne, je reçois pas mal de confidences de femmes qui souffrent de solitude, incapables de vivre seules, et qui cherchent désespérément un compagnon.

Les cartes sont aussi le miroir de la vraie vie, avec ce qu'elle comporte de désirs, d'espoirs, de souffrances. Je ne suis ni psy ni thérapeute, mais je peux néanmoins comprendre (les cartes mises à part) les grandes dérives humaines et apporter à ma manière un soutien passager à des clientes avec lesquelles je sympathise naturellement. Ma réceptivité en éveil me permet de composer avec le jeu de la vie, qui n'est *pas aussi complexe qu'on le pense, car le parcours humain n'est pas autre chose qu'un scénario répétitif de problèmes similaires dans des contextes différents, et je dis cela sans morosité ni aigreur. Par intuition, par expérience aussi, je sais atténuer chez les âmes meurtries leurs périodes noires, ou encore trouver par le biais des cartes les dérivatifs qui leur font oublier momentanément que les jours se suivent et ne se ressemblent pas.*

De l'exercice professionnel du métier de cartomancienne, de la prospection du vaste champ émotionnel de clientes qui l'ont consultée régulièrement, Dolly a retenu un certain nombre d'anecdotes troublantes et amusantes, dont celle de cette femme qui vint un jour la voir à son kiosque.

Dès qu'elle fut en ma présence, j'éprouvai un malaise. Par son comportement, elle me donna l'impression d'une agitation intérieure suspecte. L'écoutant, je me sentis anormalement crispée, les tripes nouées. Je n'avais jamais jusque-là éprouvé une pareille sensation d'appréhension.

«Que disent les cartes à mon sujet? demanda-t-elle.

— Que vous allez faire un long voyage», répondis-je.

Elle parut momentanément satisfaite. Quelques jours plus tard, j'appris qu'elle était morte subitement. Le voyage annoncé par les cartes devait être son dernier, sans retour.

Dolly travailla pendant trois ans à Carignan, mais, ennemie de la routine, elle considéra qu'il était impératif de changer de place, de trouver une autre plate-forme pour exercer son métier. Matin et soir, Paul la conduisait en voiture et commençait à trouver le trajet fastidieux. Après des vacances en Floride, destination annuelle et favorite de Dolly, elle s'installa pendant une longue période au gros marché aux puces de Pointe-aux-Trembles, où elle consolida sa réputation de tireuse de cartes détentrice d'un don spécial.

La vie est étrange, de dire Dolly. Après une très longue carrière dans le show business, je fus bientôt plus connue dans mon rôle de cartomancienne que dans celui d'artiste de scène. Mon deuxième métier prit le pas sur le premier et même l'éclipsa, pour la bonne raison que les gens – sauf exception – oublient très vite. En 1984, à l'occasion de mes vingt-cinq ans de vie artistique et sportive, la direction de la grande exposition agricole de Saint-Félicien me fit l'honneur de me choisir comme invitée spéciale. Ce fut très gratifiant pour Paul et moi. Qui s'en souvient à part les personnes concernées? Le parcours d'une vie n'est pas autre chose qu'une succession d'images qui deviennent floues ou se perdent dans la marche du temps, d'expliquer Dolly. J'ai été omniprésente dans la cartomancie, j'ai participé à quatre reprises au Salon de l'occultisme, où j'ai obtenu un succès ininterrompu. Les gens se rappellent la dernière séquence, pas la première. Ils ne me voient plus maintenant comme une acrobate, une lutteuse ou une comédienne, mais comme une cartomancienne. Dans leur esprit, la première et grande étape de mon parcours n'est plus qu'un souvenir flou, vague, imprécis dans leur mémoire. On ne change pas la vie, c'est la vie qui nous change.

***

Amorçant sa retraite dans les années 1988-1989, Paul était devenu captif d'une implacable routine. Chaque jour, il suivait un itinéraire répétitif et monotone. Déjà, sa mémoire flanchait, inaptitude qu'il attribuait à l'âge. Les mots ne lui venaient plus aisément en tête. Il se sentait embrouillé dans ses idées, confus, dérivant, absent de son propre présent, avec des vides mémoriels de plus en plus fréquents. Il quittait provisoirement le réel pour entrer dans de courtes phases voilées par une brume vaporeuse qui enveloppait sa mémoire et la rendait inapte à saisir et à retenir le moment présent.

Ce constat n'inquiétait pas Paul outre mesure, il avait l'absolue conviction que ses omissions – ses trous de mémoire – étaient liées à son vieillissement. Il ne se flétrissait pas de l'extérieur, conservait une apparence encore svelte avec plus ou moins de tonus et d'énergie, mais d'autres signes précurseurs de la maladie qui allait finalement l'abattre se multipliaient et renforçaient leur emprise au fur et à mesure que les mois s'écoulaient. Trop obnubilé par sa profonde conviction qu'il avait une santé de fer, Paul ne s'attarda pas à déceler les défectuosités de plus en plus prononcées de sa mécanique. Conduire Dolly à son travail pour la ramener ensuite à la maison devint une sorte de défi insurmontable. Totalement désorienté, il errait à travers les rues, ne parvenait plus à ajuster sa boussole aux impératifs du moment. Puis, un déclic se produisait. Une petite lumière s'allumait. Le réel reprenait provisoirement ses droits. De courts moments, comme les pièces détachées d'un Monopoly qu'un enfant s'efforce de rassembler laborieusement pour donner à son jeu une image concrète.

Lorsque la maladie d'Alzheimer s'empara peu à peu de Paul, qu'elle grignota son énergie et déclencha ses effets pervers – stress, morosité, peurs morbides, détresse sans nom, hallucinations –, qu'il vécut dans un monde nébuleux où s'entrechoquaient pêle-mêle des parcelles du réel dans sa mémoire estropiée, Dolly dut faire preuve d'ingéniosité pour ne pas être emportée par la débâcle.

La progression de la maladie de Paul m'obligea à restreindre mes activités professionnelles, que je reprenais, quand c'était possible, sans me plier à un horaire exigeant. Avant et durant sa maladie, ces deux étapes contraignantes me forcèrent à planifier davantage pour exercer un gardiennage de tous les instants. Dans la phase critique de l'évolution de son mal, il ne pouvait rester seul sans surveillance. Mon stress atteignit des sommets, mais je réussis à garder la tête froide et à contrôler des situations de plus en plus complexes.

Après son hospitalisation, je me sentais comme une épave, coupable d'avoir signé les papiers autorisant son internement. Pouvais-je faire autrement? La logique me commandait d'agir en fonction du bien-être de Paul, mais le cœur a des raisons opposées à la logique. Si je n'avais pas eu la force de caractère de réagir à temps, de trouver sur ma route quelques planches de salut, j'aurais plongé dans une dépression dont il m'aurait été difficile de sortir.

Fort heureusement, je m'engageai à fond dans un atelier d'écriture, aidée dans ma démarche par Mme Claudette Périno. Les participants, à partir d'un plan de travail et de conseils, racontent leur vie, vivent une expérience fascinante. Celle-ci m'a détendue et sans doute rescapée d'une dépression éventuelle. En suivant rigoureusement les règles du jeu, en fouillant dans ma mémoire pour y récupérer des souvenirs, des anecdotes et des faits divers presque oubliés, j'ai vite réalisé mes limites. J'ai compris qu'on ne s'improvise pas écrivain du jour au lendemain, sans une formation ni une préparation adéquates. Mais on peut très bien, à titre de profane, tirer de cet exercice de belles satisfactions et faire une thérapie, indispensable dans mon cas.

J'ai d'abord piétiné avant de prendre mon élan et j'ai trouvé un immense plaisir à faire le tour de mon jardin, à rencontrer des parents et des amis, à renouer avec les lieux de mon enfance, à compiler des faits dans mon cahier de bord et à engranger de vieux souvenirs, et cela, sans me soucier de la forme ou du style, car je ne suis pas une professionnelle de l'écriture. J'ai peiné sur ce projet, y consacrant des heures d'annotations, vérifiant auprès de mes proches des détails qui me manquaient.

Au terme de cette difficile entreprise trop lourde pour moi, je savais que mon livre n'en était qu'à ses prémices, que j'avais accouché d'un brouillon. Pour écrire jour après jour, je sais maintenant qu'il faut une immense discipline, une longue habitude de l'écriture, et j'ajouterais la ferveur qui soutient l'effort et permet de finir ce que l'on a commencé. Un jour, je me suis confiée à mon amie Gisèle Fortin, que je connais depuis longtemps. Je lui ai montré mon cahier de bord. Elle m'a prodigué de précieux conseils, me suggérant de rencontrer l'un de ses amis, écrivain de métier et auteur de plus d'une centaine d'ouvrages, dont *Little Beaver, un nain dans l'arène de la vie*, *Le vrai visage de Pierre Péladeau* et *Jean-Marc Brunet, la force et la santé*. Après plusieurs interviews, il a accepté de faire le récit de ma vie, depuis Saint-Félicien, épaulé dans sa tâche par Gisèle Fortin.

Je venais de trouver une formule gagnante. Mon optimisme et ma foi ont été le contrepoids de mon handicap.

Chapitre 9

La joie de vivre dans le partage

Dolly est septuagénaire.

Loin de penser à la retraite, elle reste au cœur de l'action, à son rythme, et ses activités sociales sont multiples. Comme toujours, elle sait composer avec les événements, tout en préservant ses valeurs premières.

Ceux-là qui, à l'exemple de Dolly, ont traversé les différentes étapes de la vie sans trop de meurtrissures savent qu'il faut laisser derrière soi les désillusions pour ne conserver que le souvenir des jours heureux et des rêves profonds de la jeunesse. Ceux-là qui en ont décousu avec la vie savent mieux que quiconque que tout est éphémère, sauf peut-être la continuité de la pensée.

Vivre, c'est surtout espérer, à tous les stades de son parcours, même si à certains moments l'espoir fuit par les fissures du cœur et de l'âme.

Si naître est un miracle, atteindre un grand âge et conserver intactes ses facultés intellectuelles et la qualité du discernement – privilège accordé à un petit nombre – en est un autre. Tout privilège concédé à un ou plusieurs individus à titre exceptionnel ne doit s'exercer que dans le bon droit, l'équité et la reconnaissance. Vivre est aussi un acte de foi.

Le poids des ans confère aux aînés un début de sagesse et les fait entrer dans l'antichambre de la sérénité et de l'indulgence. Rien n'est parfait sur cette bonne terre. Comme l'expliquent les sages, à mesure que nous gravissons la pente raide de notre montagne individuelle et que nous approchons de la cime, tout semble dérisoire, vu de haut dans la lunette de la sagesse, et la futile agitation humaine paraît insignifiante.

Les problèmes liés à la vieillesse fascinent Dolly. Elle se prépare avec confiance et sereinement à entrer dans la phase de la coupure avec le monde actif.

Vieillir au Québec, dans une société de confusion sans modèles, sans points de repère, sabotée par l'effritement des valeurs spirituelles et axée uniquement sur une culture de l'argent, du profit et de l'âpre gain plutôt qu'une culture de l'être, isole et emmure les aînés dans les ghettos affligeants du désabusement, de l'ennui et de la solitude. Comme les femmes ont une longévité supérieure à celle des hommes, ce sont elles qui finalement souffrent davantage de solitude. Comment l'apprivoiser? «Le bonheur, c'est de vivre un jour à la fois», dit Dolly, ce que répètent les êtres humains depuis des millénaires.

À quel âge est-on vieux?

Cela dépend des gens, pense Dolly. Il y a des personnes qui sont vieilles à 20 ans et d'autres d'un âge certain qui conservent l'esprit jeune et ont toujours des projets en chantier. C'est une question de mentalité, de dynamisme, de vouloir vivre. Pour ma part, je rêve de rester active à la limite. La retraite, je n'y pense pas, pas plus qu'à l'âge d'or, clame-t-elle. Avant la finale, nous avons encore pas mal de choses à faire.

Septuagénaire, Dolly est un symbole de vitalité et de détermination. Son dynamisme est contagieux. Elle refuse de vieillir parce que son esprit est juvénile. Être et rester jeune est avant tout une disposition de l'esprit: la capacité de s'émerveiller, l'art de cultiver l'enthousiasme, de profiter pleinement de l'expérience acquise et de garder intacte sa curiosité.

Pour Bertrand Desjardins, géographe de l'Université de Montréal, le vieux concept de l'âge d'or et ses stéréotypes est en régression, car différents facteurs – dont le prolongement de la vie – sont en train de préparer un quatrième et un cinquième âges. «Le terme de 65 ans et plus, explique-t-il, devient donc arbitraire pour désigner les aînés qui ne forment pas un groupe homogène mais possèdent une histoire sociale individuelle et des expériences particulières.» Déjà, de vastes études se poursuivent dans de nombreuses institutions pour mesurer l'impact d'une nouvelle réalité.

Par ailleurs, Jacques Laforêt, professeur retraité de l'Université Laval, affirme que «plus on vieillit, moins il y a de personnes autour de nous avec qui l'on peut entrer en interaction. On sent qu'on vit moins ou qu'on ne vit plus du tout quand on est coupé d'interactions avec ses semblables».

Ce monde de modes fugitives et de communication accélérée engendre des sociétés où l'on ne se parle plus que par le biais des outils. Standardisation débridée et instantanéité sont les valeurs de la modernité. De là une solitude grandissante, corroborée par une enquête de Statistique Canada, laquelle établit les constats suivants:

- La technologie (appareils de toutes sortes) contribue à accentuer le phénomène de la solitude;
- Les jeunes d'aujourd'hui (entre 15 et 25 ans) souffrent plus de solitude que les jeunes d'autrefois;
- Dans l'emploi du temps d'un individu, le nombre d'heures en moyenne qui s'écoulent dans la solitude oscille entre cinq et six heures par jour.

De l'avis aussi de nombreux analystes, la retraite comporte de nombreux éléments négatifs, en ce sens qu'elle démobilise l'individu, lui enlève son esprit combatif et prépare son isolement, dans bien des cas.

Je ne voudrais pas, demain, me retrouver toute seule entre quatre murs, avoue Dolly. Je suis habituée au public. J'ai vécu sous les réflecteurs. J'aime le monde, le contact avec les autres, la convivialité et les gens mobilisateurs et dynamiques. Par mon métier de cartomancienne, je sais que la solitude est un fléau social. Il faudrait plus d'amour et de compassion dans nos sociétés. Moi, dans mon petit monde, je fais ma part pour abattre les murs de la solitude.

CHAPITRE 10

Un long combat pour la dignité et l'autonomie

Avant que Dolly décide, avec l'aide de quelques compagnons, de mettre sur pied l'Association québécoise des personnes de petite taille (AQPPT), le Palais des nains s'affichait (1950-1959), rue Rachel, à Montréal, organisme fondé par Philippe Nicol. Ce dernier ne détenait aucun titre de noblesse mais se proclama lui-même comte de tous les nains, sacralisation ambiguë puisqu'on ne savait trop s'il représentait l'ensemble des nains au Canada ou seulement ceux du Québec. Son règne ne fut pas particulièrement heureux, car il négligea presque tous les aspects positifs de l'intégration sociale ainsi que l'autonomie des personnes de petite taille pour valoriser les gadgets et les accessoires.

Son établissement se voulait un musée et rassemblait des objets hétérogènes, sans signification précise, sinon qu'ils étaient petits et vraisemblablement utilisés par les nains. Philippe Nicol était surtout un homme d'affaires cherchant avant tout à exploiter un filon sans trop se soucier de la collectivité naine. Avec son style «rococo-bowling», le Palais des nains ne poursuivait aucun but de haute volée visant à améliorer le sort des personnes de petite taille. Le comte n'avait ni l'esprit, ni la personnalité, ni le charisme, ni l'humanisme – sans parler de la volonté – pour mettre l'accent sur les problèmes vécus par les nains et leur fournir des atouts afin de les sortir de leur isolement.

Dans les années qui suivirent, grâce à l'initiative de Dolly, les choses devaient changer.

Avec l'aide de trois camarades, explique-t-elle, nous avons mis sur pied l'Association québécoise des personnes de petite taille. L'organisme fut enregistré le 18 août 1976, l'année où le maire Jean Drapeau reçut à Montréal, à l'occasion des Jeux olympiques, des athlètes du monde entier. Quinze ans plus tard, à l'occasion d'un événement commémoratif au cours duquel on me remit un diplôme honorifique pour ma contribution à l'AQPPT, je pus constater le chemin parcouru depuis le lancement de notre association.

Contrairement aux buts du fondateur du Palais des nains, qui tablait sur l'artifice et l'accessoire, notre programme s'attaquait aux vrais problèmes, dans la perspective d'une reconnaissance des droits de notre collectivité, d'une intégration de nos membres dans la société québécoise, d'une implication de nos jeunes dans le système scolaire et dans le marché du travail du monde des grandes personnes, selon les aptitudes de chacun et d'autres facteurs contributifs majeurs, pour que s'affirment les individus de petite taille, souvent enclins à sombrer dans un état pathologique pernicieux. Nous avons mené un dur combat pour sensibiliser les membres que nous devions recruter, les invitant à nous seconder dans la mesure de leurs moyens, relate Dolly, se rappelant des temps difficiles.

Elle refait le parcours de ces années pénibles en plusieurs étapes prioritaires, que nous résumons brièvement pour mieux faire comprendre la démarche entreprise par une association fragile et, faute de moyens financiers, toujours sur la corde raide :

- Recruter des membres, leur communiquer les buts poursuivis et les inviter à collaborer et à s'impliquer dans le projet. Cette étape ne fut pas une tâche facile ;
- Redonner confiance à ceux et celles qui souffraient d'appartenir au monde du nanisme, leur fournir au besoin un soutien psycho-

logique et leur insuffler le désir de se déculpabiliser et de développer leurs points forts. Ce travail ne donna pas des résultats immédiats mais contribua à bâtir un nouvel esprit au sein du groupe;

- Obtenir une plus grande crédibilité auprès d'un large public par des actions concrètes et soutenues et abattre les préjugés en cours dans la société concernant le nanisme. Bien qu'il y ait eu des progrès tangibles, la perception selon laquelle les nains ne sont pas aptes à fonctionner efficacement dans le monde des grandes personnes est bien ancrée dans l'esprit d'un large public convaincu;
- Par rapport aux limites fonctionnelles des nains, obtenir de façon impérative un soutien technique faisant appel, sans discrimination, à l'équité et concernant les besoins les plus immédiats d'un groupe spécifique sur les plans scolaire, économique et de la santé. Il y avait nécessité d'autopsier courageusement les lacunes de la population naine et de trouver l'antidote – avec l'aide de spécialistes – pour remédier aux états pathologiques très courants chez les personnes de petite taille.

Au début, explique Dolly, nous n'avions presque pas d'outils de travail ni d'archives, sauf quelques rares documents incomplets qui traitaient du nanisme en termes généraux, sans référence à une communauté spécifique. Nous étions dans le noir total, car personne n'avait envisagé un plan d'action concret pour le monde du nanisme québécois, lequel, replié sur lui-même, vivait dans un véritable ghetto. Bien sûr, des individus s'en échappaient, tels que Little Beaver, Sky Low Low ou quelques autres, mais c'étaient là des cas spécifiques. Beaucoup affichaient un pessimisme et une amertume qu'ils ne cachaient pas. «Pourquoi ne sommes-nous pas nés dans la normalité?» se demandaient-ils, égrenant leurs griefs et geignant jour après jour sur leur infortune.

Venir au monde dans un format réduit est certes une désillusion, tout comme être atteint de gigantisme ou de toute autre fatalité qui te rend différent physiquement, en dehors des normes usuelles. Mais un handicap peut être surmonté à force de travail, de volonté, d'initiative. Rien n'empêche une personne de petite taille de briller intellectuellement, d'occuper un poste important, de devenir géologue ou spécialiste de l'environnement, pas plus qu'il n'y a pour elle des interdits dans les domaines de la création, des arts en général, du dessin, de la composition musicale ou de toute autre forme d'expression. La force de l'esprit est mille fois supérieure à la force physique. On s'impose par la force brutale, mais on domine toujours par celle de l'esprit.

Qu'est-ce qui empêche une personne de petite taille de se réaliser? Ce ne sont pas tant les obstacles que la pudeur maladive, la comparaison suggestive, le manque de confiance en ses moyens, et ce que je pourrais appeler le respect humain, explique Dolly, rappelant que dans la vie courante les comparaisons ont toujours un petit quelque chose d'odieux, car elles reflètent des distorsions absurdes. On ne compare pas le nain Tom Pouce (un peu moins d'un mètre) au géant Beaupré (2,51 m), qui mourut de tuberculose à 23 ans. Ce serait aussi aberrant que de comparer une poire à un melon, ou un raisin à une banane. Chacun sa spécificité.

Le grand problème, c'est qu'on veut mettre tout le monde dans le même panier, sans égard à la diversité. Fort heureusement, d'ajouter Dolly, la recherche médicale sur le nanisme a évolué. Un document préparé par des spécialistes avec lesquels nous avons collaboré nous a été transmis en août 1993. Il permet de mieux comprendre les erreurs du code génétique et les handicaps qui en résultent.

***

Ce document n'a pas pour but d'analyser l'ensemble des phénomènes (les chromosomes et leurs composantes) qui déterminent pourquoi les uns naissent avec les yeux bleus et d'autres avec les yeux gris ou noirs, mais tout simplement de reconnaître que venir au monde est une chance exceptionnelle. Chaque opération intercellulaire pour faire émerger la vie dépend d'un scénario complexe, logique, mathématique. Mais il suffit d'une mauvaise communication de l'ordinateur cellulaire pour qu'il y ait une erreur dans les échanges et que la structure d'un être humain soit modifiée. On pourrait spéculer à volonté sur les probabilités de naître sans handicap, mais les tests sur le patrimoine génétique des parents apportent des réponses aux couples qui se demandent: «Mon enfant aura-t-il un handicap?»

Exister, c'est sortir du néant pour entrer dans le cycle éphémère de la vie et s'efforcer tout au long de son existence de commettre le moins d'erreurs possible.

L'équipe qui a préparé l'étude connue sous le nom de *Recherche médicale sur le nanisme* apporte un éclairage intéressant et documenté sur les différents types de nanisme et les conséquences liées à la croissance.

Avec ce document, explique Dolly, les petites personnes sont un peu sorties des ténèbres, mais la route à parcourir est ardue et épineuse. Notre association ne règle pas tous les problèmes, mais elle aide beaucoup de nos membres à adopter une attitude plus positive et à acquérir la confiance en soi avec laquelle tout devient possible.

Être nain dans un monde fabriqué à l'échelle des grandes personnes présuppose que les gens de petite taille sont forcés de s'adapter à toutes les situations de la vie courante.

Beaucoup d'individus examinent leurs congénères à travers le prisme déformé de préjugés tenaces. Ils croient que les nains sont d'étranges petites créatures inaptes à occuper des tâches importantes ou à atteindre des sommets dans le créneau qu'ils ont choisi pour gagner leur pain quotidien, ou encore qu'ils ne ressentent pas les mêmes émotions que les grandes personnes, ni la même angoisse face aux situations tragiques, comme la perte d'un être cher, ou la même affliction, l'abattement, le désespoir qui jalonnent la vie. Si «nul n'est autre qu'une réplique de soi-même», comme l'a écrit un philosophe, les êtres humains, petits ou grands, ne sont guère différents dans leurs émotions.

Pour Dolly, la seule unité de mesure qui serait applicable pour le genre humain est celle du cœur. Naître est une chance mais aussi un mystère qui relève de l'ontologie. «Je suis petite mais humaine, comme n'importe qui, répète Dolly. Nous avons les mêmes émotions et les mêmes réactions que les individus de taille normale. »

Dans le bulletin de l'AQPPT (printemps 2004), le secrétaire-trésorier, M. Pierre Therrien, fait ressortir dans son éditorial des faits importants que le grand public a tendance à oublier ou qu'il ne soupçonne même pas, que nous résumons à notre manière.

Il y a plus de vingt-cinq ans, écrit-il, nous n'étions qu'un petit groupe. À l'occasion, nous nous réunissions dans les bars pour prendre un bon repas et discuter. Pour certains, c'était une façon de faire des rencontres, pour d'autres l'occasion de se distraire, la maison (ou refuge) étant le seul endroit que nous connaissions. Pourquoi se terrer ? demande M. Therrien. Réponse simple : parce que depuis notre enfance, nos parents nous cachaient, de peur qu'on nous maltraite, ou encore ils avaient honte de montrer aux gens un enfant difforme. En ce qui concerne les ados et les adultes, souligne-t-il, nous étions interminablement la risée.

Ajoutons que sarcasmes, plaisanteries, persiflage et moqueries vicieuses lancées tels des dards acérés sont généralement l'arsenal d'inconséquents qui semblent éprouver un plaisir sadique à humilier leurs victimes. Partout dans le vaste monde, l'homme est un loup pour l'homme, et sa méchanceté pour ses semblables ne semble pas connaître de limite.

Je faisais carrière dans le milieu artistique, poursuit M. Therrien. Je connaissais Normande Gagnon (Dolly) depuis plusieurs années. Après quelques rencontres avec Jean-Paul Landry, du Lac-Saint-Jean, nous avons décidé de fonder le Club du petit monde du Québec. Le but poursuivi : défendre nos droits, sortir les petites personnes de leur isolement, les aider à s'initier et à s'adapter aux changements technologiques et sensibiliser les écoliers dans les institutions scolaires aux problèmes de notre groupe.

Pour Pierre Therrien, la question de la relève est primordiale, c'est un point crucial. « Pour le moment, l'association réussit tout juste à survivre, mais pour aller plus loin, établir un programme ambitieux, il faudrait plus d'argent dans ses coffres», explique-t-il.

Un énorme travail, de dire Dolly, doyenne respectée dans son milieu. Tout commence par la recherche d'une autonomie individuelle. S'il est déterminé, s'il a confiance en lui et qu'il est enthousiaste, un individu de petite taille peut trouver sa voie dans le créneau de son choix.

Dans un survol des personnes de petite taille qui ont connu du succès, Dolly mentionne Henri de Toulouse-Lautrec (1864-1901), peintre célèbre et lithographe qui imposa ses œuvres – dont le *Moulin rouge* – au monde entier par leur concision et leur raffinement; Mimie Mathy, comédienne, humoriste française et participante à de nombreux films, qui a publié un livre savoureux, *À pas de géant*, lequel a connu un gros succès en France; Hervé Villechaise (1943-1993), acteur français de renom qui tint un rôle percutant dans le film américain *L'homme au pistolet d'or* dans la série *James Bond*; Lionel Giroux, lutteur et comédien surprenant connu sous le nom de scène Little Beaver, et qui a eu une longue et fructueuse carrière; Marcel Gauthier (1928-1998), décédé à l'âge de 70 ans, plus connu sous le nom Sky Low Low, coriace adversaire de Little Beaver et athlète accompli rompu à toutes les astuces de la scène; Alain Bluteau, artiste peintre de Charlevoix, élève de Francesco Yacurto – le grand portraitiste – et du renommé René Richard, qui est aussi un poète actif et apprécié d'un large public; le comte Joseph Buralowsky (1739-1839), Polonais d'origine et auteur des *Mémoires d'un nain célèbre*, qui épousa une comtesse et fréquenta les plus grandes maisons aristocratiques d'Europe; Michael Dunn (1934-1973), excellent pianiste de 1,20 m dont le quotient intellectuel frisait les 180 et qui joua dans de nombreux films, dont *Wild Wild West*; Alexander Pope (1688-1744), poète anglais du XVIIIe siècle, auteur de nombreux livres; et bien d'autres personnages encore.

Ce bref tour d'horizon nous permet de comprendre que de nombreux individus de petite taille, hommes et femmes, ont su se faire une place dans la littérature, le cinéma, la comédie ou la peinture, et se hisser par leur valeur à des sommets. «Hélas! dira Dolly, il faudrait qu'il y ait dans mon petit monde plus d'audace, plus de détermination, plus de confiance aussi concernant la valorisation individuelle. »

***

À de très hauts niveaux du monde médical, la question de savoir si l'enfant qui naît avec une petite taille est normal ou handicapé a été longuement analysée. L'Organisation mondiale de la santé a finalement clarifié la situation en déterminant les facteurs suivants: la limitation fonctionnelle physique d'un individu et son empêchement à son développement. Il y a par le monde plus de 500 causes provoquant le nanisme, dont une centaine sur le seul territoire du Québec.

Sans entrer dans des considérations ontologiques[10], retenons l'essentiel des observations des spécialistes, à savoir les limitations fonctionnelles des personnes de petite taille, une force musculaire inférieure à la moyenne ainsi que la hauteur et la lourdeur de toutes les choses hors d'atteinte. Les attitudes négatives d'autrui sont aussi prises en considération.

La notion de difformité dans la forme physique n'est pas liée à l'individu lui-même, mais plutôt aux formes et aux structures environnementales, à l'ordonnance et à l'accommodement des choses fonctionnelles (un marchepied d'autobus peut être un sérieux obstacle) et à une foule de structures qui entravent une petite personne ou l'empêchent de jouir pleinement de ses droits. Aussi longtemps que la société ne progressera pas vers un concept d'inclusion – ce qui suppose un changement de mentalité et la rupture avec de vieux préjugés enracinés sur un fond primaire de subjectivité –, le monde du nanisme souffrira dans sa dignité de l'étroitesse d'esprit de ceux qui jettent l'opprobre sur les personnes de petite taille et qui tentent de les abaisser. Il n'y a pas dans la population naine une véritable psychorigidité, c'est-à-dire une incapacité plus ou moins prononcée à s'adapter aux situations nouvelles.

10. Primauté de l'être mais aussi de son environnement; philosophie qui considère les structures, les causes et les lois.

Le monde est une mosaïque d'individus différents, explique Dolly. Certains ont la peau claire, d'autres ont la peau noire. Ce que nous demandons depuis toujours, c'est le respect des différences.

Les gens de taille normale n'ont aucune idée des contrariétés et des tribulations auxquelles les petites personnes font face au quotidien. Rien ne leur est adapté, en commençant par les vêtements qu'elles portent. Signalons les obstacles habituels:

- *Les téléphones publics.* Comment introduire une pièce de monnaie dans l'appareil et saisir le récepteur hors de portée?
- *Les déplacements.* L'adaptation d'un véhicule coûte cher. Un spécialiste doit modifier le siège et le dossier du conducteur, rallonger les pédales d'embrayage, du frein et de l'accélérateur, et prévoir les commandes à sa portée.
- *Les courses.* Faire l'épicerie est souvent une épreuve, car comment revenir à la maison chargé de sacs quand on ne peut marcher que sur de faibles distances?
- *Les gestes de la vie quotidienne.* Changer une ampoule, effectuer des tâches domestiques très simples pour les grandes personnes, pousser les portes trop lourdes des édifices publics, retirer de l'argent à un guichet automatique, appuyer sur les boutons d'un ascenseur, emprunter les transports publics pour se déplacer ou grimper sur un tabouret pour se saisir d'un objet inatteignable exige de véritables tours de force et d'acrobatie.
- *Les besoins et les droits.* Se loger, assurer l'éducation de ses enfants et leur intégration à l'école sans qu'ils soient marginalisés et avec une véritable collaboration des commissions scolaires, faire les démarches pour la recherche d'un emploi, convaincre le patron qu'on est productif malgré sa petite taille, autant de barrières que les moins bien portants, les timides et les irrésolus sont incapables de franchir au cours de leur existence.

Le grand problème, explique Dolly, c'est que nous ne sommes pas tous armés de la même façon pour affronter la vie; comme chez les grandes personnes, il y a des inégalités physiques ou intellectuelles. Par *rapport à nos handicaps, il nous faut avoir une attitude positive et déterminée si nous voulons renverser la situation et nous répéter sans cesse que notre vouloir collectif est la clé de notre insertion harmonieuse dans une société qui n'est pas faite pour les petites personnes.*

Associés dans l'histoire ancienne aux pitres et aux amuseurs dans les cours royales, ou encore à des êtres malfaisants, les nains ne possédaient nullement les pouvoirs maléfiques que leur prêtaient les envieux, irrités souvent par le franc-parler de ces petits hommes qui avaient la confiance d'un souverain. Les légendes sont fertiles en récits imaginaires que le cinéma repique et adapte, pour la plus grande joie des enfants. La réalité est moins prosaïque, plus terre à terre.

Les gens de petite taille sont toujours à la recherche d'un véritable statut social qui leur donnera confiance et les moyens de s'épanouir dans la dignité, affirme Dolly.

Épilogue

Chambre 211.

Trois ou quatre fois par semaine, Dolly suit religieusement un rituel sacré. Beau temps, mauvais temps, elle se rend à la Résidence Robert-Cliche, un établissement de renom spécialisé dans les soins de longue durée. Les très grands malades souffrant de maux incurables tels que l'Alzheimer y trouvent la sécurité et les traitements appropriés à leur état.

Paul Hébert y logera pour le reste de son existence. Le 211 se trouve au bout d'un long corridor aux murs vert pâle, couleur reposante. Seul dans sa chambre, il dispose de toilettes, dont il ne se sert pas. Sa seule distraction : quand ses jambes enflées par la médication le lui permettent, il fait sa promenade quotidienne dans les couloirs de la résidence où, parfois, il s'égare. Il fréquente aussi, trois fois par jour, la petite salle à manger de l'étage.

Le reste du temps, il habite son monde vaporeux et léger où les images sans consistance se diluent, se confondent entre le réel et l'irréel. Sa mémoire, comme un système de miroirs détraqué, lui renvoie des fragments d'images floues qui se délayent après s'être formées sans pouvoir se solidifier tangiblement, comme l'eau qui fige au contact du froid.

Paul ne parle presque plus, seulement des phrases écourtées qu'il répète tel un leitmotiv et récupère dans son registre verbal écourté.

Des phrases, toujours les mêmes, que ses lèvres parviennent à prononcer avec embarras.

«Bonjour, Dolly.

— Bonjour, Paul.»

Il la regarde avec les yeux pleins d'eau. Long silence. Moment dramatique d'une grande intensité.

«Quand donc on va prendre une marche?» demande-t-il, la voix étouffée.

La consigne établie par la résidence stipule que les visiteurs ne doivent pas susciter ou alimenter par leurs propos de trop grands espoirs, mais laisser le malade dans une expectative mesurée, prudente, ou simplement détourner la conversation, lorsqu'il insiste.

«Tu sembles te porter mieux, Paul?»

Il ne répond pas. Se porte-t-il mieux? Il ne le sait pas. Il ne peut évaluer lui-même son état. Sa bouche esquisse un triste sourire et il cherche avec peine à formuler une phrase qui franchit difficilement ses lèvres:

«Je suis content que tu sois là, Dolly.

— Moi aussi, Paul.»

Il tente de dire autre chose, mais ne peut qu'émettre des sons, des onomatopées, des cui-cui, comme le chant de l'oiseau. L'effort se lit dans son regard chagriné. À part quelques formules d'usage courant, tous ses désirs immédiats, ses courtes joies et ses peines passent par le canal de ses yeux.

Vingt minutes se sont écoulées, partagées entre deux ou trois phrases et des silences de plomb, dans une lourde ambiance de désespoir. Car l'espérance n'entrera jamais dans la chambre 211 où Paul Hébert est consumé par sa maladie. C'est une question de temps.

L'ex-culturiste, rebelle hier à tout traitement, est maintenant docile. Il accepte mieux sa dépendance.

Progressivement, l'état de Paul se détériorera, au point où il ne pourra plus reconnaître sa compagne ni même murmurer son nom. Lui, si solide autrefois, vacille sur ses jambes, et ses yeux hagards sont brouillés par un voile constant. Il n'est plus dans la vie courante, mais la vie est encore en lui.

Dolly fait ses préparatifs pour partir.

«Je dois m'en aller, Paul.» Elle lui parle doucement. «On prend bien soin de toi, ici. Tu es en sécurité. Repose-toi.» Les mêmes conseils à répétition meublent les vides de la discussion.

Difficilement, il trottine derrière elle jusqu'à l'ascenseur. Ses jambes enflées refusent maintenant d'obéir à ses désirs. De plus, elles le font souffrir.

Devant l'ascenseur, tel un pantin dont le mécanisme est brisé, Paul a déjà oublié que Dolly était là quelques minutes plus tôt. Sa mémoire est l'abîme où ses souvenirs les plus chers ont sombré.

Dans les débuts, j'étais secouée par mes visites à la résidence, mais je suis sortie d'un champ émotionnel négatif et nuisible à mon harmonie et à ma santé. Je regarde la situation en face. Je me dis qu'à Robert-Cliche, Paul est l'objet de soins qui lui sont donnés par un personnel expérimenté.

Paul reçoit peu de visiteurs, sauf sa conjointe et l'aumônier de la résidence, dont le rôle se résume à répandre la joie. Mais comme tout dans la vie est aléatoire, les roses tombent, mais les épines restent.

***

Paul Hébert est né au Cap-de-la-Madeleine le 15 mars 1920. Très jeune, il développe son corps par la culture physique et devient lutteur professionnel à 17 ans.

En 1940, il arrive à Montréal où il monte un numéro de culturiste équilibriste pour œuvrer dans le domaine du spectacle. En 1949, il travaille à Roberval, au Lac-Saint-Jean. Il voit Normande Gagnon dans la foule. Comme il ne peut l'approcher, il demande à quelqu'un son nom et son adresse.

Normande reçoit une lettre de Paul lui demandant de travailler avec lui dans le domaine du spectacle. À l'époque, Normande n'a que 17 ans.

Cinq ans s'écoulent avant que Normande parte pour Montréal. Entre-temps, ils se voient quatre ou cinq fois et correspondent. Ensemble, ils répètent un numéro d'acrobatie; comédie et Cupidon s'en mêlent... Ils tombent amoureux et le demeurent pendant quarante-six ans. Ils parcourent le Canada et les États-Unis, gagnant leur vie dans ce métier pendant trente ans. Ils forment un duo très inusité.

Paul est bon pour Normande; c'est un homme pacifique et doux. Il est son amour, son protecteur, mais en 1998, les rôles changent: c'est Normande qui devient sa protectrice, car Paul est atteint de la maladie d'Alzheimer.

Normande l'a gardé pendant cinq ans à la maison. Cela été très difficile, mais grâce à ses amies, à sa parenté et avec l'aide du CLSC de Rosemont, elle a tenu le coup. Ensuite, en 2004, elle a été obligée de le placer à la Résidence Robert-Cliche.

Normande est demeurée à ses côtés jusqu'à la fin, et Paul s'est éteint durant la nuit du 24 décembre 2008, dans la dignité et sous les bons soins du personnel de la Résidence Robert-Cliche. Paul Hébert est retourné à son Créateur.

Dolly

Dolly au parc Saint-Félicien, à 14 ans.

Ludger Gagnon et Éva Saint-Gelais, parents de Normande Gagnon (Dolly), lors de leur mariage en 1908, à Laterrière, petite municipalité du Saguenay.

Confirmation de Dolly, à l'âge de 8 ans.

Vue d'une splendide église restaurée à grands frais (Saint-Félicien). Monseigneur Bluteau aimait l'opulence.

Dolly et sa grande amie d'enfance, Thérèse Gagnon.

Dolly à sa communion solennelle, entourée de l'abbé Jean-Jacques Carrier et de Jules Lemay.

Trois copines:
Normande Gagnon (Dolly),
Normande Bouchard
et Normande Boivin.

Une photo du groupe des communiantes.
Dolly se trouve au centre.

Ulysse et Georges, frères de Dolly, étaient propriétaires
du Château de Saint-Félicien, un endroit très fréquenté.

Les membres de la famille Gagnon; ils sont presque tous disparus,
sauf Dolly et sa sœur Marie, qui se trouve à sa gauche.

Dolly et Bertin Bouchard,
son neveu et filleul.

Dolly, en compagnie
de Claudette D'Anjou et
d'Anne-Marie Gagnon.

Dolly et son conjoint, Paul Hébert, lors d'une fête de famille à Saint-Félicien, en 1993.

Membres et amis de l'AQPPT lors du 20e anniversaire de l'organisme dans lequel Dolly est très impliquée.

Dolly, au camp d'été de Saint-Hippolyte,
en compagnie de deux fillettes.

Dolly, le comédien Paul Cagelet
et sa nièce de Saint-Félicien,
Michelle Pelletier, artiste-peintre.

Toujours au camp de vacances; plus de 200 individus de petite taille
se retrouvent en famille au lac Bleu de Saint-Hippolyte.

Dolly avec son amie Mae Bernier, en 1998.

Nathalie Labelle, Annie Landry, Dolly et Paul Cagelet fraternisent lors du 20e anniversaire de fondation de l'AQPPT.

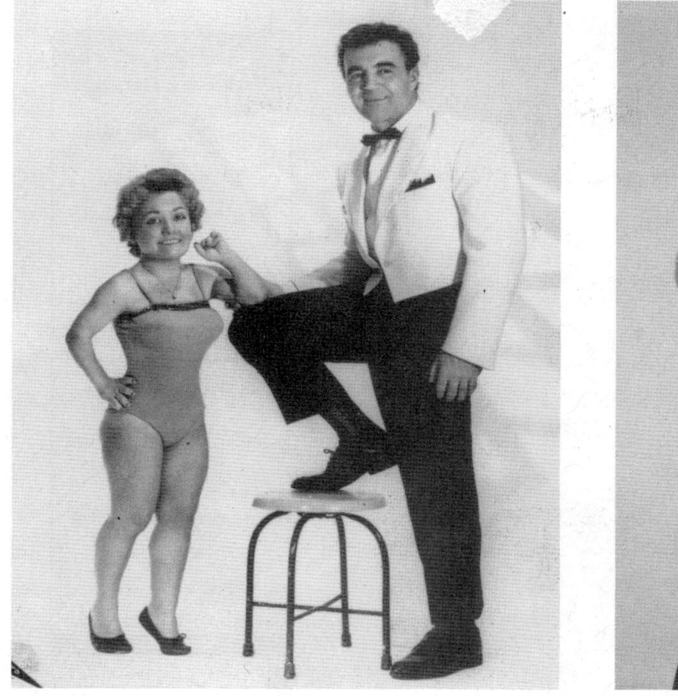

Paul Hébert et Dolly se préparent à entrer en scène.

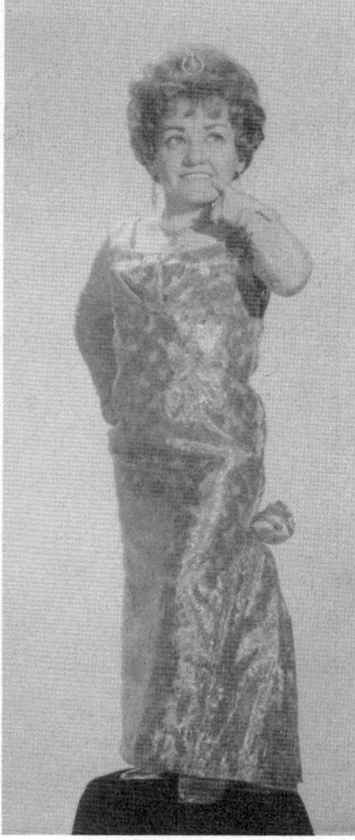

Dolly, en robe de soirée, à une réunion mondaine.

Jack Dempsey, champion de boxe à l'époque de Joe Louis, assiste à un match de lutte en compagnie de Dolly et de son conjoint, Paul Hébert, en 1967.

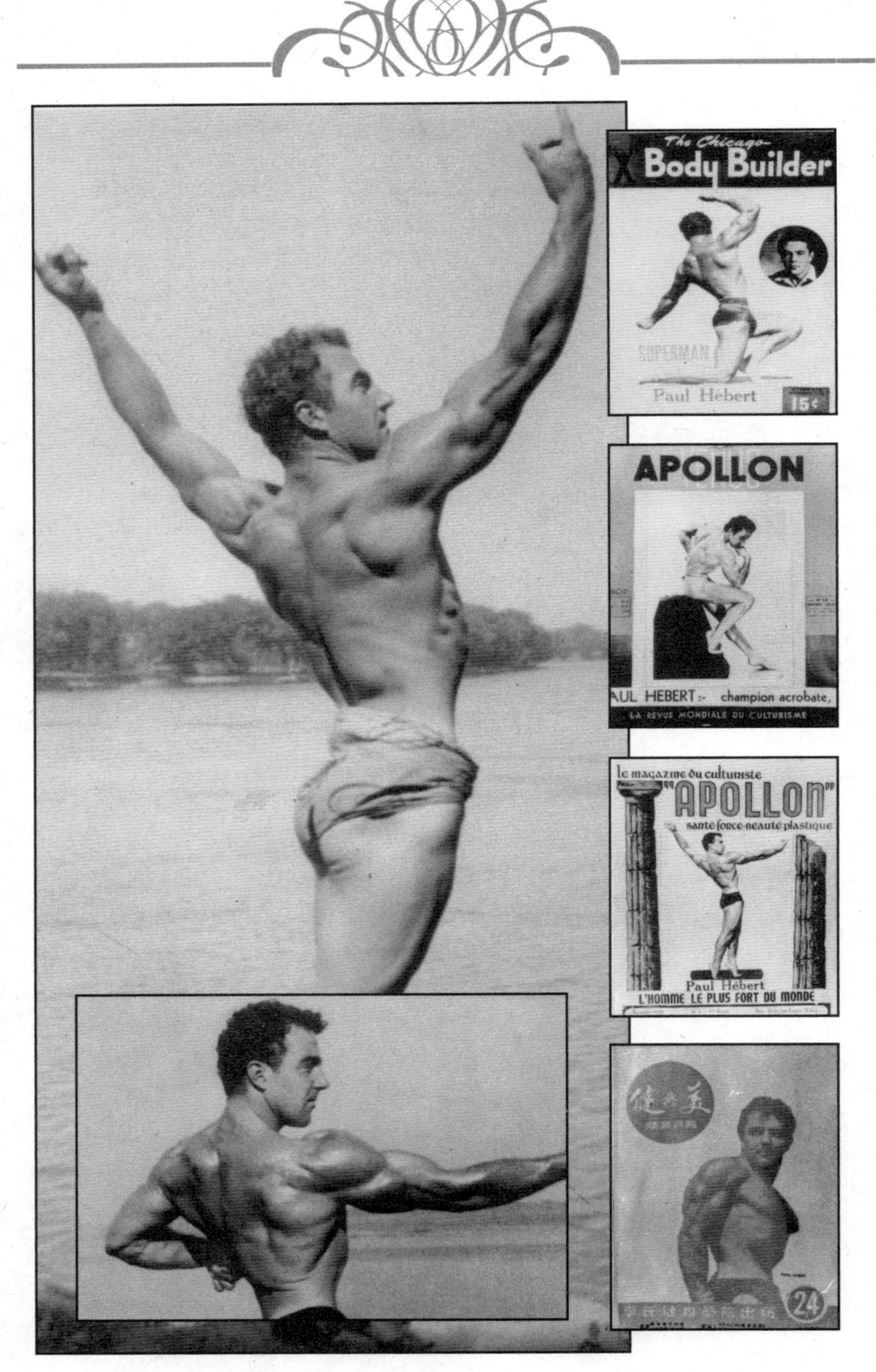

Paul Hébert, culturiste, a illustré par ses poses plastiques
de nombreux magazines sportifs de Ben Weider.

Les Pirates, en tournée canadienne.

Pierre Daigneault et Jean-Pierre Masson, deux grands comédiens, participent au gala artistique présenté en 1965 dans cinq provinces canadiennes. Ce spectacle à sketches désopilants mettait aussi en vedette Farah, la partenaire de Paul Hébert et de Dolly. Elle y jouait une danseuse du célèbre french cancan.

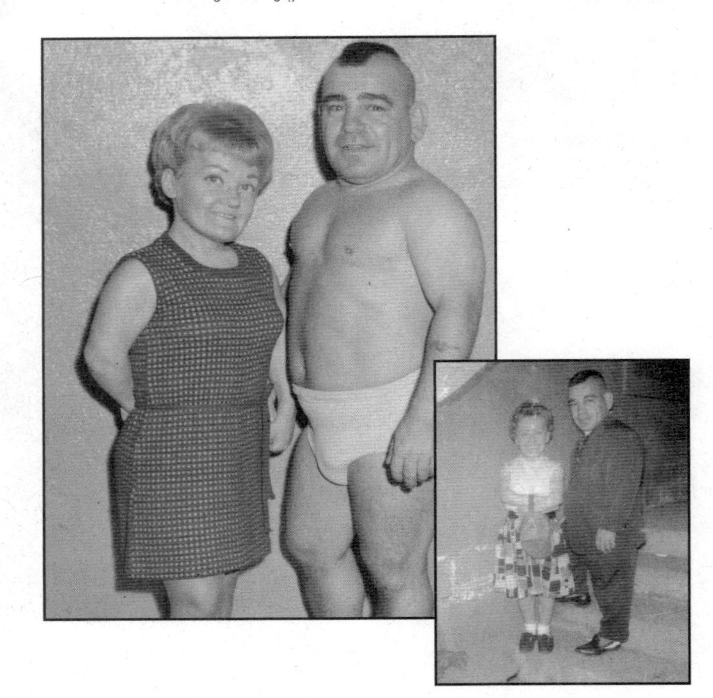

Grand ami et confident de Dolly, le spectaculaire Little Beaver, un lutteur professionnel admiré pour ses prouesses et son talent unique de comédien. Il faisait également partie de la grande tournée des cinq provinces en 1965.

Dolly admirait beaucoup Juliette Béliveau ; elle pactisait avec la grande comédienne et se faisait un devoir et une joie d'assister à ses spectacles. Le lecteur notera que Juliette n'a qu'une tête de plus que Dolly, laquelle mesure 46 pouces.

Jerry Lewis, grand comique américain en tournée au Québec, fraternise avec Dolly lors d'une rencontre amicale.

Dolly en compagnie de sa sœur Marie, sa confidente dans les heures difficiles.

Anne-Marie Gagnon a beaucoup aidé Dolly à traverser la phase difficile de la maladie de Paul.

Dolly avec sa sœur Marie et son amie, Mae Bernier.

Dolly et Paul en Floride, dans leur campeur baptisé par Dolly « ma petite maison de poupée ».

En 2002, la maladie de Paul Hébert (Alzheimer) devient pour Dolly un véritable cauchemar.

Table des matières